Christa Wolf

Hierzulande
Andernorts

Christa Wolf
Hierzulande Andernorts

Erzählungen
und andere Texte
1994–1998

Luchterhand

Inhalt

Begegnungen Third Street

How are you today? Fine! höre ich mich sagen und habe
den ersten Beweis, daß neue Reflexe sich bilden, denn wie
hätte ich noch vor ganz kurzer Zeit, gestern noch, mein Gehirn umgegraben nach einer schnellen zutreffenden Antwort, die heute pretty bad lauten könnte, oder müßte, bis
ich begriff, daß nichts von mir verlangt wurde, als ein Ritual zu bedienen, das mir auf einmal beinahe human vorkommen wollte, Elevatorsyndrom, denke ich und sehe
wohlwollend die junge Dame aus dem Staff an, die, super-
schlank in ihrem knapp sitzenden Kostümchen, ein zu
einem Schwan aus Goldpapier geformtes Geschenk auf der
flachen Hand, nach oben schwebt in die Gefilde der Seli-
gen, nämlich in den zehnten Stock, wohin ich, angewiesen
auf jenes mit meinem Foto versehene, am Jackettaufschlag
zu befestigende Schlüsselbündchen, das in schmalen, aus-
ziehbaren Schränkchen bei der Security im vierten Stock
verwahrt wird, niemals hinaufstrebe, obwohl es uns ja keineswegs verwehrt wäre, von dort oben den sicherlich noch
weit eindrucksvolleren Blick auf die Palmen und den Pazi-
fik oder, aus einer anderen Fensterreihe, auf die Santa Monica Mountains zu genießen, der mir aber, sage ich mir,
wieder im Elevator, how are you today, fine, aus dem sech-
sten Stock, der mir zugewiesen ist, nicht nur genügt, sondern als genau angemessen erscheint, was unlogisch und
merkwürdig ist, eine kokette Selbstbescheidung? Doch
wohl nicht, denke ich, während das andere Tonband in mei-

nem Kopf, von dem die Rede noch nicht war, weiterläuft, es kann ja von allem, was gleichzeitig geschieht, nicht gleichzeitig die Rede sein, denke ich nicht ohne Bedauern, *Der Spur der Schmerzen nachgehen, das sagt sich so, wenn du schmerzfrei bist*, aber nun stehen wir in der *lounge*, und die Sonne macht aus ihrem heutigen Untergang etwas Besonderes, eine Steigerung, die ich nicht für möglich gehalten hätte, und wir sehen stumm ihrer Inszenierung zu, bis jemand den Einfall hat zu sagen: God exists.

How are you, Tony? Da ist ihr Reflex entgleist, da kommt eine fremde dunkle Stimme aus dem Telefon, die sagt: My heart is broken, und dies ist buchstäblich wahr, und da gibt es weder Trost noch Hilfe, mehr ist dazu nicht zu sagen, es dauert, sage ich dann doch noch, während ich ihr in der kleinen Küche zusehe, wie sie Tomaten schneidet, Käse reibt, es dauert im allgemeinen zwei Jahre, ihr fehlen noch sechs Monate, manchmal, sage ich in dem vergeblichen Versuch, möglichst nahe an meiner Erfahrung, möglichst entfernt von Allgemeinplätzen zu bleiben, manchmal kommt der Umschwung schnell, you know, über Nacht, du wachst auf und bist frei, really free, you understand, aber Tony kann mich nicht hören, sie ist noch in der Druckkammer, sie sagt, immer habe sie gedacht, wenn es ihr einmal passiere, werde sie großzügig sein können zu dem Mann, der sie verlasse, doch das könne sie nicht, nein, sie könne es nicht, sie müsse seine Schuldgefühle ausnutzen bis auf den Grund, verstehst du, er hat alles, was er sich wünscht, Geld, eine junge schöne Frau, die überall tätowiert ist, er kann machen, was er will, und ich, sagt Tony, während sie den Salat mischt, ich habe mich immer danach gerichtet, was andere von mir wollten, du weißt vielleicht, daß ich zehn Monate in einem buddhistischen Kloster war, es hat mir wenig geholfen, sagt sie, und dies ist das erste Abendessen, das ich für Gäste gebe, seit er mich verlassen hat, und nun bin ich nicht einmal sicher, ob das Fleisch gut ist, wie mögt ihr es denn, rough oder well done, ich sage medium, da gibt sie dem Braten noch zehn Minuten, er schmeckt uns allen, erinnere ich mich, und daß es sich gar nicht vermeiden ließ, ich es auch nicht vermeiden wollte, auf die *riots* zu sprechen zu kommen, ob sie sich wiederholen würden, sicher, sagt Al, nur sei diesmal die Polizei darauf vorbereitet und würde sie im Keime ersticken. Nichts, sagt er, habe sich an den Zuständen in South Central Los Angeles geändert, es gibt zu viele Leute, die nichts zu verlieren haben, you know, und nun beginnen die Weißen schon wieder zu vergessen, daß sie von ihren Vierteln aus die Stadt haben brennen sehen.

Es ist kaum zu glauben und schwer auszuhalten, daß alle diese Leute, die mir auf der Ocean Park Promenade entgegenkommen, unschuldig sind, Menschen ohne Schuld, das gibt es, das japanische Liebespaar, das sich in den verschiedensten Posen zuerst gegenseitig fotografiert, dann mich bittet, sie beide aufzunehmen, wie sie von zwei Seiten versuchen, den Stamm eines mächtigen Eukalyptusbaumes zu umarmen, die Großfamilie von Mexikanern, die sich zwei Bänke zusammengerückt hat und aus recycelbaren Fastfood-Behältern Hamburger und Hot dogs speist, von der Großmutter bis zum kleinsten braunhäutigen Enkelkind, schuldlos sie alle, die Gruppen russischsprechender Emigranten, denen ich von meiner Bank aus, Beobachtungsposten, das Russische von weitem ansehe, schuldlos auch sie, gerade sie, oder die vielen einzeln oder zu zweit joggenden jungen Leute, manche an Pulszähler angeschlossen, oder an Schrittgeber, was weiß ich, manche aus Erschwernisgründen auch

*noch mit Hanteln bewaffnet, unschuldig, unschuldig und
nichts weiter, DO YOU LIKE ME? steht mit großen schwarzen Buchstaben auf ihren weißen durchschwitzten T-Shirts,
und da kann es ja keine andere Antwort geben als Ja*

Band läuft *Du mußt dich selber aus dir herausschneiden*
Ende. Cuttern, cuttern, unbrauchbares Material, ins un-
reine gedacht oder vielmehr gedacht worden, denn auf dem
mehrspurigen Band wird die eine Spur ohne mein Zutun
besprochen, während ja auf einer der anderen Spuren
gleichzeitig ein Bildtongemisch aufgenommen (aufgezeichnet?) wird, Stadtgeräusche, das Tag und Nacht gegenwärtige Sirenengeheul der Polizeiwagen, die aufjaulen wie verwundete Tiere, oder das kurze schrille Anschlagen der
Alarmanlage eines der teuren Autos, wenn jemand es berührt hat, ihm zu nahe getreten ist, oder die Feuerwehr, in
ihrer ganzen unglaublichen Feuerwehrschönheit rast sie
vorbei, direkt auf den Brand und die Kameras zu, die
immer schon da sind und mir abends unvermeidbar die
Leichen der Verbrannten und die Tränen der Hinterbliebe-
nen ins Zimmer bringen, getreulich wie gut erzogene Katzen jede einzelne erbeutete Maus, jeden einzelnen der vielen täglichen Ermordeten in dieser großen Stadt auf meine
Schwelle legen, was ich zuerst, erinnere ich mich, geschehen
ließ und wie eine Pflichtübung auf mich nahm, auch kannte
ich niemanden hier, was gingen mich diese fremden Toten
an, bis ich mich auf einmal damit überraschte, daß ich mitten in einem Verzweiflungsausbruch einer Mutter, deren
Sohn durch die jüngsten, allerdings ganz ungewöhnlichen
Wolkenbrüche von einem sonst harmlosen Bach wegge-
schwemmt worden war, die rosa Aus-Taste drückte *Das er-
trage ich nicht mehr* und diese kleine Bewegung mir mehr

als alles andere zeigte, daß ich angekommen war und die Hoffnung, mich draußen zu halten, wieder einmal getrogen hatte

während auf der dritten der anscheinend unzähligen Hirnspuren eine Figur allmählich hervortrat, die einen Namen hatte, ehe ich sie kannte, MEDEA, sie kommt, ich erlebe noch einmal das Wunder einer Erscheinung, *unverdient das alles*, Medea, die ihre Kinder nicht ermordet hat, die Unschuldige, dachte ich freudig und triumphierend, da kannte ich sie noch nicht oder hoffte vielmehr insgeheim, sie benutzen zu können, als Zeugin, Entlastungszeugin, es hätte mich stutzig machen sollen, daß sie sich mir entzog, daß Bücher über Bücher meinen Tisch bedeckten, sich in den Regalen ausbreiteten, daß ich mir nicht zu schade war, Stunden am Kopierer zu stehen und Seiten über Seiten zu kopieren, die ich hin und her trug in jener buntgewebten Tasche aus dem indischen Laden in der Third Street, und daß ich mich zur Expertin entwickelte für die Genealogien vorgeschichtlicher Königshäuser, in denen Medea unterging, während das Computersystem ORION mir auf immer neue Stichwörter, die mir einfielen, ARGONAUTEN KOLCHIS GOLDENES VLIES, immer neue Titel und Namen aufrollte, ausdruckte, auf Querverweise verfiel, auf die ein Mensch nie käme, CIRCE CHEIRON ALT-KORINTH, immer wieder sagte ORION Ich weiß was und überschüttete mich mit seinem Wissen und entwickelte alle Eigenschaften eines Tyrannen, auch über die GROSSE MUTTER war er ja orientiert, über MENSCHEN- und TIEROPFER aller Art, über MYSTERIEN und RITUALE, aber erst als er anfing, mahnend im Traum zu mir zu sprechen, legte ich die Titelliste beiseite, die er mir aufgedrängt hatte, und fing, auf einmal sehr schüchtern, an, mit ihr selbst zu sprechen, Medea. Ich sehe, es handelt sich um keine zugängliche Person, ich ahnte, daß sie ein Zeugnis von mir verlangte, das ich nicht erbringen konnte, noch nicht erbringen konnte und auch nicht wollte. Oder ich ahnte es doch wohl nicht, denn ich freute mich unverhohlen an formalen Erfindungen, die ich erst jetzt als Tricks durchschaue und die sich nun schon über drei verschiedenfarbige Schreibblöcke haben ausbreiten dürfen, so daß ich jetzt nicht einmal weiß, ob sie noch auf mich wartet, Medea, ob sie Geduld mit mir haben wird oder sich einfach wieder auflöst, ins Nichts zurückgeht und in die Stücke der verschiedenen Dichter, die sie, zuerst beim großen Euripides, der diese Erfindung verantwortet, als Kindsmörderin teils verurteilen, teils bewundern, teils zu verstehen suchen, während ich doch gleich, wenigstens das könnte sie mir zugute halten, gewußt habe, die hat ihre Kinder nicht umgebracht, und hochbefriedigt in den frühen Überlieferungen fand, ich hatte richtig gedacht, die Korinther brachten natürlich ihre Kinder um, weil sie diese Hexe und Zauberin nicht mehr ertrugen. Aber, merkwürdiger Gedanke, sie hat es nicht mehr erlebt, daß sie als Mörderin ihrer Kinder in die Literatur einging, so hat sie wenigstens in dieser Hinsicht eigentlich Glück gehabt.

Doktor Kim, zu dem man auf Strümpfen geht und bei dem man in Bambussesseln sitzt, fragt andere Fragen als andere Ärzte, zwar interessiert ihn der Körperschmerz, der mich zu ihm führt, durchaus und gründlich, doch hebt er plötzlich seinen schmalen asiatischen Kopf von dem Blatt, das ich für ihn ausfüllen mußte. You are a writer. What are you doing to become a good writer. Da bin ich auf einmal wieder in einer Prüfung und will gut sein wie immer und greife ganz unwillkürlich zu dem Mittel, das ich beherrsche, mich einzufühlen in das, was dieser Lehrer hören will, und sage also, fast ohne zu zögern, ich würde versuchen, mich selbst so genau wie möglich kennenzulernen und das so gut wie möglich auszudrücken, und Doktor Kim scheint's zufrieden, ich solle regelmäßig meditieren, rät er mir noch, dann würde ich mich gut kennenlernen und der beste Schriftsteller der Welt werden können, und ich konnte diesmal ehrlichen Herzens sagen, dies sei nicht mein Ziel, was ihn zu erstaunen schien

aber es ist nicht mein Ziel, bekräftigte ich mir, als ich wieder im Bus saß, dem Blue Bus Line 2 of Santa Monica, der den ganzen endlos langen Wilshire Boulevard unter seine Räder nimmt und in dem die ärmeren Leute sich sammeln, die nicht mit eigenen Autos fahren, eine schwarze Mutter mit ihrem schleifchengeschmückten schwarzen Kind, eine Ruine von Mann, der an der Flasche hängt und laut vor sich hin spricht, den Kopf schüttelnd über das Unglück dieser Welt, eine Gruppe von weißen, schwarzen und braunen Schülern, so albern wie Schüler überall, eine Frau, die so dick ist, daß sie die beiden Plätze einer Sitzbank voll ausfüllt, und an jeder Station fällt mir auf, wie viele Leute schlecht laufen und nur mit Mühe ein- oder aussteigen können, wie viele von ihnen Stöcke oder Krücken vor sich herschieben, wie viele einen verbundenen Arm oder ein verbundenes Auge haben, und als der Bus Fourth Street hält, gebe ich mir Mühe, nicht zu hinken und auszusteigen, als brauchte ich den Haltegriff eigentlich nicht, obwohl der Erfolg, den Doktor Kim anscheinend schon von den ersten fünf Nadeln erwartet hat, sich nicht einstellen will, eher im Gegenteil, doch man hört ja davon, daß eine Akupunkturbehandlung das Symptom zunächst verschlimmern kann, daher beschließe ich am nächsten Morgen, mir doch jene eine Tablette zu leisten, von der Doktor Kim nichts wissen darf, da er mir schon den Kaffee- und Weingenuß untersagt hat – no coffee! no wine! –, und die womöglich, was weiß denn ich von den Stoffen, die jene Energieströme fördern oder behindern, auf die Doktor Kim setzt, all seine Bemühungen zunichte machen kann.

Ich laufe ein paar Blocks den Wilshire Boulevard hinunter bis zu dem polnischen Laden auf der linken Seite, in dem eine junge schüchterne Polin verkauft, die überraschend reizvoll wird, wenn sie lächelt, und die es nicht fertigbringt, jeden Kunden mit dem obligatorischen Can I help you? zu überfallen, unbeobachtet streiche ich an den Regalen herum, ich habe kaum Geld bei mir und nehme Doktor Kim zuliebe zwei Flaschen alkoholfreies Bier, aber die beiden Russen, ältere, etwas aus dem Leim gegangene Männer mit unverkennbar russischen Mützen auf ihren Köpfen, haben die Verkäuferin inzwischen in eine Diskussion um die verschiedenen Würste verwickelt, die hinter ihr an der Kachelwand hängen, in einer Mischung zwischen Russisch und Polnisch verständigen sie sich darüber, welche für das Gericht am geeignetsten ist, das in der Familie der Russen heute abend auf den Tisch kommen soll, ich verstehe den Namen nicht, aber die Verkäuferin kennt es, das gibt es in Polen auch, und sie würde dafür die runde, angeräucherte Wurst nehmen, zwei Ringe, mindestens, für acht Personen. Die Russen nehmen drei und verabschieden sich familiär von der jungen Frau, die ihnen nachlächelt, und ich kann meine Rührung kaum verbergen und habe auf einmal Heimweh nach Moskau, ein schwacher Abglanz des Heimwehs dieser Männer, nach einem Moskau, das es nicht mehr gibt, in dem beinahe alle Telefonnummern, eine nach der anderen, für mich erloschen sind und an das ich mich nur noch mit Freunden erinnern kann, die ich einst dort kennenlernte und die ich jetzt in westlichen Städten treffe.

Ich erinnere mich der düsteren Moskauer Woche im Oktober 89, des einzigen Lichtblicks, als ich am ersten Abend vom Hotel aus Berlin anrief und du mir sagtest IN LEIPZIG WAREN HUNDERTTAUSEND AUF DER STRASSE, UND NICHTS IST PASSIERT und als ich auf einmal wieder wußte, was Glück ist, es war ja Montag, der Montag der Leipziger Lichterdemonstrationen, ich weiß noch, wie fest ich in dieser Nacht geschlafen habe, ich erinnere mich an die nassen schadhaften Bürgersteige, an die gähnend leeren Geschäfte, an die Verlegenheit der Freunde, wenn ich sie fragte, wie sie sich um Gottes willen ernährten, wenn sie mich zu Tisch baten, auf dem sie früher, als die Schaufenster auch schon leer waren, doch noch aufboten, was ich mir unter einer russischen Mahlzeit vorstellen konnte – aus jenen früheren üppigen Zeiten, als man in großem Kreis stundenlang aß und trank –, und auf den sie jetzt mit großer Würde bescheidene fleischlose Gerichte brachten, die zu beschaffen sie Tage gebraucht haben mußten, doch darüber sprachen sie nicht, ich erinnere mich der Übersetzerin und Essayistin, die ich in ihrer Wohnung besuchte, in der sie sich wie in einer Festung verbarrikadiert hatte, weil sie Jüdin war und weil wieder einmal in Moskau ein Datum für ein bevorstehendes Judenpogrom umlief und weil in ihrem Haus ein übler Mensch wohnte, der sie schon einmal mit wüsten Beschimpfungen aus dem Fahrstuhl gescheucht hatte, und weil ihr Mann eine Wochenzeitschrift leitete, die unter den Rechten als zu progressiv galt, ich weiß noch, wir aßen Schinken und Brot, ich konnte nicht essen, das Zimmer war mit Wandteppichen ausgelegt, es mußte ein anheimelndes Zimmer sein, wenn es nicht durch die Angst seiner Bewohnerin in eine finstere Höhle verwandelt worden wäre, ich trank ein Glas Wasser nach dem anderen, meine Gastgeberin hielt sich an ihrer Berufsehre fest und mußte mit mir unbedingt einen Artikel besprechen, den sie über eines meiner Bücher geschrieben hatte, ich kannte den Stolz der Moskauer, wenn es ihnen wieder einmal gelungen war, eine Übersetzung, einen Aufsatz durchzusetzen, dieser Stolz wirkte nach auch in diese Zeit hinein, in der die Literatur und die Zeitungen noch unter Papiermangel, nicht aber unter der Zensur zu leiden hatten, ich hörte sie an und kam von dem Gedanken nicht los, daß ich diese Höhle verlassen konnte, sie nicht, ich sah die erschöpften Gesichter in den Redaktionen, in denen sie wußten, die Umwälzung dieses ganzen Landes lag auf ihren Schultern, sie schliefen nicht, jetzt nicht, sagten sie, noch eine Weile müssen wir ohne Schlaf auskommen, sie hatten die Phase noch nicht hinter sich, die uns bevorstand, in der sie Massen von Artikeln in Zeitschriften und Zeitungen verschlangen und Stunden vor dem Fernseher saßen, es war mir die größte Auszeichnung, an die ich mich erinnern konnte, als Baklanow mir einen Rosenstrauß schenkte, dann saß ich mit unserer ältesten Freundin, Lidia, zusammen, sie hatte uns auf vielen Reisen begleitet, sie kannte unsere Kinder und unsere Familiensprache, wenn ich mir ein hartes Leben vorstellte, hatte ich immer an das ihre gedacht, jetzt war sie unglücklich über die Woge von Wahrheiten, die über sie hereinbrach und sie unter sich begrub, sogar die Staudämme sollen falsch gewesen sein, sagte sie, aber unser gan-

16

zes Leben kann doch nicht falsch gewesen sein, ich begann zu ahnen, daß ein von der Wahrheit Überforderter Trost brauchen kann, ich hatte keinen für Lidia, sie ist inzwischen gestorben, wieder eine Telefonnummer gelöscht

Unser ganzes Leben kann doch nicht falsch gewesen sein es gibt kein richtiges Leben im falschen aber wo gibt es ein richtiges in dem man richtig leben könnte

geistesabwesend saß ich an jenem Tisch, an dem eine besonders sorgfältig zubereitete Mahlzeit serviert wurde, mir wurde klar, daß ich, eine Deutsche, unter jüdischen Emigranten verschiedener Nationen saß, die sich mir zuliebe auf Deutsch unterhielten, *unverdient unverdient das alles*, mir wurde klar, daß ich in der Stadt der Emigranten lebte, die Leute, von denen am Tisch gesprochen wurde, waren auch emigriert, man machte sich ein bißchen über sie und über sich selber lustig, auch über die Amerikaner, in lässiger Manier, ich fragte plötzlich, ob eigentlich Brecht, vergraben in seine Arbeit, alle Antennen nach Deutschland ausgerichtet, vertieft in Diskussionen mit anderen Emigranten, mit Schauspielern, diese Stadt, Los Angeles, überhaupt zur Kenntnis genommen habe, da brauchte Henrik nur an sein Bücherregal zu gehen, einen Band herauszuziehen, eine Seite aufzuschlagen, *Die Landschaft des Exils*, ein Gedicht, das mir immer entgangen war, mit den Zeilen:

Die Öltürme und dürstenden Gärten von Los Angeles
Und die abendlichen Schluchten Kaliforniens und die
    Obstmärkte
Ließen auch den Boten des Unglücks
Nicht kalt.

Nun immerhin, dachte ich. Nicht kalt.

Natürlich würde ich es lernen müssen, die Tränen zu unterdrücken, wenn einer der homeless-people, nachdem ich ihm einen Dollar gegeben hatte, in seinem leiernden Singsang mit demütiger Stimme Have a nice day hinter mir her sagte oder sogar God bless you, es nützte ihnen nichts, wenn ich mich neben diese Frau auf eine Bank in der Third Street setzen würde, wo sie immer saß, einen Einkaufswagen von Pavillion's neben sich, in dem sie ein paar Kleidungsstücke, leere Flaschen, mehrere Plastikbeutel und eine Wolldecke mitführte, wenn ich mich neben sie setzen und in Tränen ausbrechen würde. Sie gehört zu denen, die kein Geld wollen, sie schüttelt den Kopf und verweist auf die Flaschen, die sie aus den Abfallkübeln sammelt und von deren Pfand sie lebt, und wenn ich mittags den Ocean Park hinuntergehe, liegen sie einzeln oder in Gruppen, manche auf Wattedecken, aus denen die Füllung herausquillt, in tiefem, bewußtlosem Schlaf in der Sonne, und wir gehen an ihnen vorbei und versuchen, sie nicht zu sehen, wir versuchen, jenem Mann auszuweichen, der immer in laute Selbstgespräche verwickelt ist und manchmal plötzlich aggressiv wird, unter Reagan, höre ich, seien unter dem Vorwand fortschrittlicher Psychiatrie die psychiatrischen Anstalten, um Geld zu sparen, auf die Straße geleert worden

in der Psychiatrie bin ich ja übrigens einmal sogar gewesen, es lief alles immer über meinen Körper, denke ich, eine Depression läuft auch über den Körper, nicht wahr, sie verändert die Stellung der Gliedmaßen zueinander, zum Beispiel, sie vergrößert auf unheimliche Weise die Schwerkraft, so daß die Erde einen anzieht, in mehrfachem Sinn, sie trocknet die Augenhöhlen aus, hohläugig läuft man herum, lief ich herum, zum erstenmal mit diesem Tonband im Kopf, zum erstenmal? frage ich mich, darüber wäre nachzudenken, der Arzt wollte die Verantwortung nicht weiter übernehmen, einen verwundeten Soldaten schicke man doch auch nicht wieder in die Schlacht, es waren keine Gitter, nur Eisenstäbe vor dem Fenster, erinnere ich mich, aber aus dem Fenster springen wäre mein Tod nie gewesen, oder vor den Zug werfen, ich fürchtete mich vor Gewalttaten gegen meinen Körper, immer hatte ich mich, gegen Kriegsende und danach, vor Vergewaltigung gefürchtet, das Zerrissenwerden, Zerstückeln, das Aufbrechen von Menschenfleisch, das Wühlen in Eingeweiden, nein, sie hätten die Stäbe vor dem Fenster meines winzigen Zimmers wegnehmen können, natürlich konnte ich niemanden fragen, wieviel Tabletten man braucht, um zu sterben, und welche Sorte, erst viel später hat ein Arzt es mir, aus Eitelkeit, wie ich glaube, gesagt. Dieser berühmte Professor, der eine Reihe von Büchern geschrieben hatte und nach dem eine ganze Behandlungsmethode benannt war, kam jeden Tag zur Visite und stellte die falschen Fragen, weil er überzeugt davon war, daß man falsche Angewohnheiten einfach gegen richtige auswechseln kann, auch gewaltsam, und da ich, das nun wirklich zum erstenmal, eine Zeitungsphobie hatte, ließ er mir Zeitungen auf mein Zimmer bringen, die ich sofort unter ein dickes Tuch schob und niemals berührte, geschweige denn ansah, erst neulich sind mir durch Zufall einige Zeitungen aus jener Zeit – ELFTES PLENUM, ein Signal für Eingeweihte – unter die Hände gekommen, der Schweiß brach mir nicht mehr aus, Seiten über Seiten von Geifer, aus Mündern auch, die das heute nicht mehr werden wahrhaben wollen, und, wie sich herausstellte, meine Rede auf jener Versammlung und die, auf die sie sich bezog, um die entscheidenden Sätze gekürzt, und zwar nicht nur in den Zeitungen, auch in den internen Protokollen, die mir ja, da ich zu ihren legitimen Empfängern gehörte / Verteilerschlüssel / durch Boten zugestellt wurden. Sieh dir das an, sie korrigieren die Realität. Was hast du denn gedacht, sagtest du. So werde ich niemals beweisen können, daß jener Mensch »Petöfi-Club« gesagt hat, also Konterrevolution, auf die Schriftsteller gemünzt, und daß meine ersten Sätze sich dagegen richteten. Nun kann ich es doch beweisen, die ursprüngliche Mitschrift hat sich in irgendwelchen Aktenbergen gefunden. Sie interessiert mich nicht mehr.

Bredel aber ist einmal, als wir bei einem sowjetischen Schriftstellerkongreß gemeinsam in Moskau waren, einen Nachmittag lang mit mir durch die Innenstadt gegangen und hat mir sein Moskau der Emigrationszeit gezeigt: Hier war das Hotel Lux, in dem wir fast alle wohnten. Hier ist die Lubljanka, das Gefängnis des KGB. Man habe sie, die Emigranten, sagte er mir, die »Eta-Deutschen« genannt, weil sie kein Russisch konnten und beim Einkaufen immer auf die entsprechende Ware zeigten: Eta, i eta, i eta ... Auf dem VI. Parteitag, erinnere ich mich, bei dem ich zu Gast war und am Ende zur Kandidatin des Zentralkomitees gewählt wurde, ist Bredel als Akademiepräsident heftig wegen liberalistischer Tendenzen der Zeitschrift »Sinn und Form« angegriffen worden, von jenem selben Fröhlich, dem Leipziger Bezirkssekretär, der dann auch auf dem berüchtigten 11. Plenum im Dezember 1965 eine üble Rolle spielte, und selbst in der Pause noch hatte Fröhlich Bredel attackiert: Von ihm, der in sowjetischer Emigration gewesen sei, habe er ein parteilicheres Verhalten erwartet; worauf Bredel, ein Mann mit Hamburger Schlagfertigkeit, ihm schneidend erwiderte: Ich kann mich allerdings auch nicht rühmen, auf einem Nazi-Panzer nach Moskau gekommen zu sein. Was, wie man wußte, auf Fröhlich zutraf. Bredel, denke ich mir, hätte die Umbenennung seiner Straße mit Humor aufgenommen, zu Lebzeiten ist ihm Schlimmeres widerfahren, er war es ja, der den ersten literarischen Bericht aus einem deutschen Konzentrationslager schrieb, er war es auch, der mir in Moskau erzählte, wie sie während der Stalinschen Säuberungen, die ja auch deutsche Kommunisten betrafen, einander abends anriefen, um zu hören, ob der andere sich noch meldete, und dann schweigend den Hörer wieder auflegten. Wann eigentlich, frage ich mich heute, begriff ich, daß alle diese Leitbilder meiner frühen Jahre, die Bredel, Seghers, Fürnberg, Becher, Weiskopf, Kuba und all ihre weniger bekannten Gefährten, einer tragischen Generation angehörten, die erbarmungslos zwischen den Fronten zerrieben wurde und die auf Nachsicht der Nachgeborenen allerdings nicht rechnen kann – jene Nachsicht, die Brecht für die erbat, die den Boden bereiten wollten für Freundlichkeit und selber nicht freundlich sein konnten. Und wann ist mir klargeworden, daß auch wir noch, meine Generation, die wir anfangs in stolzer Unerfahrenheit so sicher waren, jene freundliche Menschengemeinschaft noch zu erleben, für die wir uns ja einsetzen wollten, daß auch wir noch unter das Verdikt fallen würden; daß auch wir bestimmt waren, in den Untergang jenes Experiments mit hineingerissen zu werden, an dessen Verwirklichung wir schon lange nicht mehr glaubten.

Jetzt sind wir dran was jetzt geschieht geschieht uns

In der Third Street Samstag abends, um Realität zu tanken bei den Sängern und Geigenspielern und Gauklern, bei den Tänzern und Zauberkünstlern, deren Hüte und Mützen vor ihnen auf dem Pflaster liegen, die Dollars sitzen den Vorübergehenden, Zuschauenden locker, ich sehe mich fest an jenem langen, dünnen schwarzen Mann, der, angezogen wie Uncle Sam, einen mit einer amerikanischen Flagge bezogenen Zylinder auf dem Kopf, auf einem niedrigen Podest, das er in eine Schaufensterecke gerückt hat, eine Art Breakdance in Zeitlupe aufführt, oder richtiger, einen sich in winzigen Rucken bewegenden Maschinenmenschen darstellt, so täuschend echt, daß ich unwillkürlich auf das Knarren der Scharniere lausche, das eigentlich zu hören sein müßte, gebannt zusehe, wie er ruckhaft die Arme winkelt, ausstreckt, den Oberkörper beugt, aufrichtet, was alles Minuten dauert und eine vollkommene Körperbeherrschung voraussetzt, endlich machen wir uns los, kehren nach einiger Zeit zurück, ich werfe ihm den Dollar, der ihm zusteht, in den Hut, wende mich zum Gehen. Jetzt winkt er Ihnen, sagt mein Begleiter, tatsächlich, ruckhaft bewegt er winkend den rechten Zeigefinger, ein maskenhaftes Lächeln erscheint auf seinem Gesicht, ich trete näher, er gibt mir, im Zeitlupentempo, die Hand, beugt sich vor, umarmt mich, ich ahme ihn nach, lache, gehe. Jetzt kommt er, ruft mein Begleiter, da hat der dünne schwarze Mann sein Podest verlassen, folgt mir mit den gelösten Bewegungen vieler Afroamerikaner, strahlt, schüttelt mir nochmals die Hand, jetzt erst richtig, locker, locker, wieder umarmen wir uns, als sei die Umarmung des Maschinenmenschen nicht gültig gewesen, jetzt läßt er mich gehen, winkt mir nach, und mir sitzt ein Schreck in den Gliedern von der Verwandlung der Kunstfigur in den Menschen, als sei eben das das Unnatürliche gewesen, als sei eben dabei eine Halterung zersprungen, eine Feder gebrochen.

Falsch leiden sollte es das auch geben oder ist leiden
immer echt immer gültig worum auch immer man leidet oder
gelitten hat und warum erscheint mir das plausibel während
ich bereit bin der Begeisterung sogar der Freude viel miß-
trauischer gegenüberzutreten was selbstverständlich ist bei
meiner Erfahrung mit Begeisterung

Valentina, die Italienerin, die in einer Art von Entzücken
auf mich zugekommen ist, das mich entwaffnet hat, sagt,
sie empfinde es fast als Sünde, daß sie so viel Schönes sehen
dürfe, sie stößt kleine Schreie aus vor jeder neuen Pflanze,
die sie findet. C'est génial, kann sie sagen. Was denn, Valentina? La vita, sagt sie. La vie. Life. Das Leben. Zum Abschied gehen wir in ein Thai-Restaurant und essen eine säu-
erliche Seafood-Suppe, die sie begeistert, reden über unsere
Bemühungen, von den Meinungen anderer unabhängig zu
werden, und auf einmal fragt sie mich, was ich über den
Tod denke. Was sie denn meine, frage ich zurück, und sie
will wissen, ob ich glaube, daß der Tod das Ende sei, und
ich sage, ja, das glaube ich, und es bekümmere mich nicht,
da macht sie ihr geheimnisvolles Gesicht, will aber ausdrücklich gefragt sein, um sagen zu können, daß zwar der
Körper zerfalle und in den natürlichen Kreislauf der Materie zurückgenommen werde, daß aber der Geist, die Ener-
gie unzerstörbar seien und auf diese oder jene Weise, in irgendeiner Form erhalten blieben. Wogegen wohl nichts
einzuwenden ist.

Ob ich eigentlich, frage ich Valentina beim Abschied, auf
sie sehr als Deutsche wirke, und leider sagt sie ja, und sie
umschreibt ihren Eindruck; streng und zielstrebig habe ich
also auf sie gewirkt, und dies seien nun mal typisch deutsche Eigenschaften, und ich habe sie ja gefragt, weil ich mir

meines Deutschseins, je länger ich hier bin, um so stärker bewußt werde, nicht zu meiner Freude

obwohl doch die Zeit, da ich viel darum gegeben hätte, nicht Deutsche sein zu müssen, so lange schon vorbei ist; ein westdeutscher Freund, dem ich davon spreche, sagt: Aber das hatten wir doch alle, so wäre es also eine Gemeinsamkeit der Ost- und Westdeutschen meiner Generation, daß wir alle in den Jahren nach dem Krieg keine Deutschen sein wollten, wir aber, wir Ostdeutschen, waren es, die zu den östlichen Völkern gehen mußten, zu denen, die am meisten unter uns gelitten hatten, und ich habe mir ja nie verhehlt, warum ich so selten in Polen war, und ich habe nie vergessen, wie bei einem der großen Gelage, das uns zu Ehren in einem sowjetischen Kolchos gegeben wurde, wo an der Tafel immer mal wieder die Rede war von dem Sohn, der als Partisan von den Deutschen erschossen, dem Bruder, der gefallen, der Familie, die ausgerottet worden war – wie da der Leiter unserer Delegation, ein alter Kommunist, der zwölf Jahre im Zuchthaus gesessen hatte, jetzt hoher Funktionär und Schriftsteller, als er auf die Trinksprüche der Russen erwidern wollte, einen Weinkrampf bekam
und es war diese Szene, die mir später im Wege stand, als es darum ging, ihm grundsätzlich und scharf zu widersprechen, und diese und ähnliche Szenen waren es, die es mir am Anfang schwermachten, seine kompromißlose Feindschaft zu ertragen, die ich mir durch den Widerspruch zuzog, sehr hätte ich es mir gewünscht, unsere gegensätzlichen Standpunkte darüber, was »uns« nützte, hätten uns nicht auf die verschiedenen Seiten eines Grabens gebracht, der immer tiefer wurde, und lange Zeit konnte es mir nicht gleichgültig sein, daß er der Meinung war, die er

24

auch verbreitete und natürlich mir ins Gesicht sagte, nun habe meine kleinbürgerliche Herkunft mich eingeholt, die Humanitätsduselei sei bei mir an die Stelle des Klassenstandpunkts getreten, er habe sich bitter in mir getäuscht und ich solle von ihm keine Nachsicht erwarten

und ich dachte an seine Zuchthausjahre und an meine Zeit in der Hitlerjugend, und ich brauchte eine starke bewußte Anstrengung, um ihm sagen zu können, daß seine Vergangenheit ihn nicht davor bewahrte, heute unrecht zu haben, und meine mich nicht davon ausschloß, heute recht haben zu können, da stand ich ihm in seinem riesigen Dienstzimmer gegenüber, zu dem ich durch riesige leere Flure und eine Menge von Vorzimmern gelangt war, und es ging um mein Buch, an dem mir lag und das er für schädlich hielt, und er schrie mich an, und ich schrie zurück, und dann beruhigten wir uns beide, und sein Ton wurde kalt, und mein Ton wurde verzweifelt, wir verabschiedeten uns unversöhnt, und auf dem langen Weg von seinem riesigen Schreibtisch zur Tür kippte ich um, zum erstenmal in meinem Leben, und hatte dann, als ich wieder zu mir kam, über mir sein sehr erschrockenes, sehr besorgtes Gesicht

Sonntag vormittag, Fernsehen, mit fast ersterbender Stimme liest ein Prediger in phantasievollem Habit dem General Schwarzkopf, der neben ihm steht, den Brief vor, den er, Schwarzkopf, vor dem Golfkrieg an seine Familie geschrieben hat, beide Männer haben Tränen in den Augen, der Prediger fragt den General: Was hat sich seit einem Jahr geändert in unserem Land? Der General sagt, immer noch schrieben ihm viele Leute und lobten ihn für das, was er für das Land getan habe. »Wir waren vielleicht *zu* erfolgreich, der Kommunismus ist zusammengebrochen«, im Golfkrieg habe Bush, »the magnificent leader«, die richtigen Entscheidungen getroffen, er, Schwarzkopf, arbeite jetzt für Bush. Eine riesige Halle, Musik, Pauken und Trompeten, alle erheben sich, klatschen. Eine einzige Wahlparty für Bush. Der Prediger betet: God, give us men. What we need, are leaders. Strong minds, great hearts, true faces, who will not lie. Er fordert seine große Gemeinde auf, sorgfältig zu beten, bevor sie nächste Woche ihre Stimme abgeben

ich lese in einer deutschen Zeitung, ein westdeutscher Intellektueller schreibt, die Intellektuellen, die in der DDR gelebt hätten, könnten doch unmöglich behaupten, daß sie ihrem Leben dort einen Sinn hätten geben können, am gleichen Tag sagt mir eine amerikanische Germanistin, die gerade jetzt über die Literatur der DDR schreibt, sie lese noch einmal alle die Bücher, euer Leben war so reich, sagt sie, viel reicher als unseres hier, das war es wohl, was uns so anzog *Und wenn es doch Menschen gäbe die bereit wären diese meine Wunde als ihre eigene zu empfinden und nicht hineinzuschlagen wundergläubig noch immer*

Jetzt werden die drei Racoons, die abends vor dem MS. VICTORIA herumsitzen oder in den Büschen nach Freßbarem suchen – angeblich seien die Mülltonnen nebenan ergiebig für sie –, jetzt werden sie dreist, als ich abends komme, hocken sie im Dunkeln vor dem Rondell mit dem Pomeranzenbaum und starren mich an, hi, sage ich freundlich, was sie nicht beeindruckt, na nun laßt mich mal durch, sage ich, aber Deutsch verstehen sie ja nicht, da gehe ich Schritt für Schritt auf die Waschbären zu, auf ihre Maskengesichter mit den immer aufgerissenen Augen, sie hokken unbeweglich, Don't worry, sage ich mehr zu mir als zu ihnen, denn sie sind ja ganz offensichtlich überhaupt nicht beunruhigt, also soll ich mich jetzt einfach an ihnen vorbeidrücken, oder was, da wird die Tür zum MS. VICTORIA aufgerissen, Licht fällt heraus, der große Gast mit dem Indianergesicht steht draußen, er klatscht in die Hände und schreit laut und aggressiv, die Racoons huschen ins Gebüsch, come in, ruft der Mann mir zu, hurry up, please, they are dangerous, ich laufe ins Haus, als ich mich umdrehe, blicke ich in drei beharrlich aufgerissene Augenpaare, they are crazy, sagt der Mann, they behave unnormal

Heute sah ich, und es gab mir einen Stich, Lew Kopelews Buch »To Be Preserved For Ever« im Schaufenster einer Buchhandlung liegen, und im gleichen Fenster Madonnas Sex-Buch, das in Aluminium-Folie eingeschweißt ist und in dem man, wie ich höre, in manchen Buchhandlungen gegen Entrichtung eines Dollars blättern darf

Lew war ja gerade wegen seines »unangemessenen Humanismus« gegen die Deutschen im Lager gewesen, wo seine Habseligkeiten mit dem Stempel versehen wurden: »Aufbewahren für alle Zeiten«. Ich erinnere mich, wie wir ihn in Moskau besuchten, in der von Dissidenten und wahrscheinlich auch von Spitzeln überlaufenen Wohnung, wie er dem Telefon, das wie ein Hündchen auf der Erde hockte, einen Fußtritt gab: Du kleiner Verräter, du!, wie er uns erzählte, daß neulich eine Nachbarin ganz aufgeregt bei ihm geklingelt habe, weil aus einem der unweit von ihrer Haustür geparkten Autos laut seine Stimme gedrungen sei, von einem Tonband. Wie er uns durch die Stadt führte, an jenem Vormittag, als in der Zeitschrift »Ogonjok« die neuen Verleumdungen gegen Lilja Brik und andere jüdische Freunde Majakowskis zu lesen waren. Das kann schlimm werden, sagte er, ein neuer Antisemitismus; wie wir abends in der Wohnung einer seiner Töchter waren, sein Schwiegersohn, der sich an einer Demonstration gegen den Einmarsch der Warschauer-Pakt-Truppen in Prag beteiligt hatte, gerade aus der Haft entlassen war, Freunde kamen, ihn zu begrüßen, und wie sie von Emigration sprachen

Thomas Mann, *Tagebücher 1949–1950* »Pacific Palisades, Freitag den 18. XI. 49 Alberne und anstößige Ausbreitung eines Lustmordes an einer 6jährigen in den Zeitungen. Russenhetze und Verschmutzung der Phantasie von Jugendlichen, dies das tägliche Werk der freien Presse.
Dienstag den 22. XI. 49 Adenauer, der Kanzler, erklärt einem Franzosen, Deutschland wolle keine Armee. Militaristische Erinnerungen dürfen nicht erweckt werden. Dabei ist schon die ganze westdeutsche Presse, kaum daß die Frage der dismantlings zu Deutschlands Gunsten gelöst, zur Forderung der Aufrüstung gegen Rußland übergegangen. Dieses würde mit der Einführung der allgemeinen Wehrpflicht in Ost-Deutschland antworten. – Becher und Eisler haben eine neue deutsche National-Hymne hergestellt, gestimmt auf Einheit und Frieden, die kein Volksfeind stören soll. – Gefühl des Ephemeren, Überholten und Unsinnigen. Friedensmilitarismus. Aber was ist das Rechte, und was hat Zukunft? In ›Nation‹ höchst positiver Bericht über das kommunistische Regiment in China. Ein Geschäftsmann: ›Fragen Sie mich nicht, die Antwort würde klingen, als wäre ich ein Roter.‹ – Zuweilen der Wunsch, Europa möchte als Ganzes kommunistisch orga-

nisiert und in Züchten aufgebaut werden. Es wäre Amerika zu gönnen.

P. P. Donnerstag den 1. XII. 49 Tage des Leidens, der Verwirrung und Ratlosigkeit. Schrieb Briefe an deutsche Interpellanten u. diktierte sie gestern der Kahn. Versuchte eine Antwort an den Herausgeber der Konstanzer ›Erzählung‹ und gab sie auf, weil sie, wie alldergleichen, zuweit führte, der Hetze neue Nahrung gegeben hätte und mich ekelte. ... Im ›Monat‹ ... auch hier Klagelied über meine politischen Äußerungen. Dabei mehren sich warnende Nachrichten über Deutschland.«

Nun ist ja Schreiben ein Sich-Heranarbeiten an jene Grenzlinie, die das innerste Geheimnis um sich zieht und die zu verletzen Selbstzerstörung bedeuten würde, und es ist auch der Versuch, die Grenzlinie nur dem wirklich innersten Geheimnis zuzuerkennen, und die diesen Kern umgebenden, teils mit ihm zusammenhängenden anderen »Geheimnisse«, die oft nur Peinlichkeiten, schwer einzugestehende Verfehlungen sind, nach und nach von dem Verdikt des Unaussprechlichen zu befreien, also nicht Selbstzerstörung, sondern Selbsterlösung zu betreiben.

Es ist ein Ros entsprungen alle Fahrstühle summen mit, ein Schmelz liegt auf allen Gesichtern, schon zum zweitenmal wurde der reiche bunte und doch geschmackvolle Schmuck der Riesentanne im Foyer gewechselt, in der Bank, wo die Damen höflich bedauern, daß man mir nun zwar endlich meine ATM-card zugeschickt hat, die mich theoretisch befähigen sollte, an allen Automaten des STAR- und des CIRCUS-Systems Geld zu ziehen, wenn man es nicht versäumt hätte, mir meine PIN-Nummer mitzuteilen, den Code, den ich eingeben müßte und ohne den jede Karte wertlos ist, der aber, versichert man mir, so überaus geheim ist, daß er mir mit getrennter Post schon noch zugehen werde, happy holidays, Madam, der Concierge neben der Riesentanne winkt mir strahlend mit beiden Händen zu *Alles schläft einsam wacht* o thank you, so marvellous, great, happy holidays, man sagt ja nicht happy Christmas, um die Angehörigen anderer Religionen nicht zu verletzen, holy days, heilige Tage mögen sie alle feiern, auch bei uns, fällt mir ein, gilt der Gruß ja den heidnischen Weihenächten und nicht der Geburt Christi, nun aber freuen sich alle auf das große alljährliche Fest des Trustes, erzähle ich dir, als du endlich ankommst, etwas bleich und von den sechzehn Flugstunden ausgelaugt, mitten hinein in die blendende kalifornische Sonne und die Weihnachtshitze, achtzig Grad Fahrenheit, aber das kann doch nicht gesund sein, und ich ertappe mich bei einem Stolz auf die Santa-Monica-Bucht und die Palmen-Alleen, als hätte ich das alles selbst erfunden, ja, wir versuchen den Jetlag zu überlisten, wie man es nach neuesten wissenschaftlichen Erkenntnissen tun soll, indem ich dich nämlich zwinge, gleich und für Stunden in der Sonne zu sein, um der verwirrten inneren Uhr klarzumachen, daß es jetzt nicht nachts um eins und Schlafenszeit ist, wie sie hartnäckig signalisiert, sondern nachmittags um vier und hellerlichter Tag, den man im Café Casino unter Sonnenschirmen bei einem Cappuccino verbringen kann, die ersten Mitteilungen austauschend, bis wir, erinnerst du dich, gleichzeitig innehalten, uns ansehen und lachen müssen, ja träumen wir denn

während wir, erinnerst du dich, uns bemühten, Spuren aufzunehmen, das Unsichtbare im Sichtbaren zu finden, und was könnte sichtbarer sein als Häuser, Neutra-Häuser, sagt Bob, der alles über Richard Neutra weiß, der uns zu viert in seinen kleinen Honda packt, der sofort Witterung aufzunehmen scheint und wie von selbst das nächste Ziel ansteuert, kreuz und quer durch die Stadt, auf Freeways, Boulevards und auf steinigen steilen Straßen, den Canyon hoch, wo das »grandmother-house« liegt, oben auf der Spitze, ein winziges Haus, gebaut von Richard Neutra als Besuchshaus für die Mutter der Familie in dem Haus etwas weiter unten, aber sie fühlt sich so wohl darin, daß aus dem Besuch ein Dauergast wurde, die alte Lady, die jetzt dort wohnt, erzählt uns davon, zeigt uns den Rundblick, sie kennt Bob, sie läßt uns hinein, wir scheinen überall Zutritt zu haben, in einem der Häuser, für eine große Schauspielerin gebaut, lag eine Frau oben krank, wir durften trotzdem unten herumgehen, die großen, hellen Räume, einmal muß jemand angefangen haben, sie so zueinander anzuordnen, daß sie den Bedürfnissen der Bewohner entgegenkamen, Bedürfnisse, die sie jetzt erst wirklich spürten, einmal mußte jemand ein neues Verhältnis zwischen Innen- und Außenwelt herstellen, mußte Maße, Formen einführen, die das Zeug in sich hatten, klassisch, also selbstverständlich zu werden, Bob kann sich nicht vorstellen, daß jemand nicht begeistert sein könnte, er macht uns zu Begeisterten, es scheint uns natürlich, daß Neutra nicht nur eine neue Bauweise, auch eine neue Lebensweise versucht hat.

Wir fahren in eine Straße, die am Rande von Coreatown liegt, also am Rand des Viertels, in dem im April bei den *riots* die meisten Geschäfte angezündet wurden, Bob zeigt uns ein Haus, das Neutra in den dreißiger Jahren als Modell eines Wohnhauses für viele Familien gebaut hat, hier können wir nicht hineingehen, hier wohnen heute arme Leute, zumeist Hispanics, halb zugezogene Vorhänge, Flaschen in den Fenstern, Köpfe, die hervorlugen, Wäsche. In der Nachbarschaft kleinere Häuser, auch arm, arbeitslose Männer mit Strohhüten sitzen in Gruppen vor den Eingängen. Sie beobachten uns. In diesem Klima hier, meint Bob, wirkten selbst Slums nicht so trostlos wie in New York oder Detroit. Ihr drei anderen habt euch von uns und dem Auto entfernt, schlendert um die Ecke, an der Breitseite des Neutra-Hauses entlang. Marco fotografiert. Dann geschieht es. Ein Auto fährt vorbei, ein schwarzer Mann am Steuer, eine schwarze Frau auf dem Beifahrersitz, sie kurbelt, als sie an euch dreien vorbeikommt, ihr Fenster herunter und ruft euch ein Schimpfwort zu, Marco, anstatt zu schweigen, antwortet, da bremst der Fahrer, nun ganz dicht bei unserem Auto, die Frau steigt aus, eine stattliche, vielleicht dreißigjährige Frau, sehr selbstbewußt, offensichtlich arm, sie läßt in großer Lautstärke eine Schimpfkanonade gegen euch los, Bob geht rasch mit mir zum Auto, sagt begütigend: »We're just looking for the architecture«, uns ist wohl beiden bewußt, wie absurd diese Entschuldigung der schwarzen Frau vorkommen muß, ihr kommt näher, die Frau steigt ein, das Auto fährt ab, die Männer mit den Strohhüten vor den Häusern haben sich nicht eingemischt. Sie haben uns für Müßiggänger gehalten, die ihre Armut fotografieren, sagt Bob.

Die Modefarbe für weibliche »officials« scheint Karmesinrot zu sein, es kann passieren, daß Hillary Clinton und Barbara Bush und die Frau von Al Gore und noch etliche Kongreßkandidatinnen vor dem amerikanischen Fernsehpublikum auf ein und derselben Bühne in ebendieser

Farbe erscheinen, aber das Rot, mit dem CBS die Staaten markiert, die schon an Clinton gefallen sind, ist heller, eigentlich ist um fünf Uhr nachmittags, als ich nach Hause komme, schon alles entschieden, an der Ostküste werden die Wahllokale geschlossen, die Ergebnisse sollen zurückgehalten werden, bis es auch hier, an der Westküste, acht Uhr p. m. ist, aber davon kann natürlich in dieser Mediengesellschaft keine Rede sein, wir sitzen, mehr als fünfzehn Leute, bei Rotwein, Brot, Käse und Chicken und beachten den Fernsehschirm kaum noch, alles brüllt durcheinander, die Amerikaner geben sich Mühe, uns das indirekte Wahlsystem über Wahlmännerstimmen zu erklären, und erst als die Protagonisten sich ihren Anhängern zeigen, finden sie wieder unser Interesse, der Jubel, als Clinton mit Hillary erscheint, mein Vergnügen, als Hillary die Rede für Clinton aus ihrer Kostümtasche hervorholt, Bush soll am Freitag vor der Wahl den entscheidenden Stoß bekommen haben, als herauskam, daß er von den Waffenlieferungen an den Iran nicht nur gewußt, sondern daß er sie auch befürwortet habe, als er diese Frage mit einer Handbewegung vom Tisch wischte und auch noch erklärte, sein Hund verstünde mehr von Außenpolitik als »diese beiden Clowns« – Clinton und Al Gore. Das war wohl zuviel, aber am nächsten Tag höre ich in einer Radiosendung einen christlichen Anrufer die Amerikaner aufrufen, nun keine Steuern mehr zu zahlen, bis dieser Unhold das Weiße Haus wieder verlassen habe, ja, Reagan, als der noch dort saß, da hätten wir alle gewußt, dort war ein Vater. »May be he had mistakes. But his energy came over to us: He was our father.« »Robert«, der Moderator, der eigentlich Prediger ist, ist ganz seiner Meinung, da ruft ihn Sharon an, eine Frau, die von ihrem Mann schlecht behandelt wird und der »Robert« den Bescheid gibt, sie müsse zu diesem Mann geduldig und lieb sein und ihm vor allem immer das Gefühl geben, daß er ein Mann sei, und wenn Sharon etwas einwerfen will, schreit »Robert« sie an, *er* rede jetzt, sie solle ihm gefälligst zuhören, und es gelingt ihm, zwischendurch haßerfüllte Bemerkungen gegen Clinton unterzubringen, während er einem späteren Anrufer ausführlich erzählt, daß er selbst ein guter, religiöser Mensch sei, der seit 45 Jahren nichts Böses getan habe, aber selbst er werde gehaßt … Shut up! schreit er eine Frau nieder, die Einwände vorbringen will, bis sie den Hörer auflegt, ein schwerer Paranoiker, der sich wöchentlich einmal vor der Radioöffentlichkeit austoben darf.

Ich gehe in die Third Street in den neu eröffneten Laden, der sich NIRWANA nennt und aus dem es nach indischen Räucherkerzen riecht, ich sehe mir alles gründlich an, die Kultgegenstände, den Schmuck, die Kerzen, ich kaufe schließlich einen Ring mit einem schwarzen Stein, der Trauer, Depression bedeutet, aber auch dagegen helfen soll, *doch wie komme ich auf Depression?*, ich kaufe ein Spiel Tarot-Karten, dazu ein Buch mit Gebrauchsanleitung, vor Jahren habe ich es schon einmal betrieben, das Spiel mit dem Tarot, habe es dann aufgegeben, als ich spürte, daß ich damit Macht über andere bekommen konnte, jetzt ist mir auf einmal gewiß, daß ich die Karten brauche, als ich sie am Abend nach der keltischen Methode befrage, decke ich fast nur Schwerter auf, Kampf, Unruhe, ein Weg übers Wasser in ruhigere Gegenden, ganz am Ende Rückzug aus der äußeren Welt, um die emotionalen und physischen Kräfte zu verjüngen. Erneuerung von Gedanken und Leben in einer friedvollen Umgebung.

Thomas Mann, *Tagebücher 1949–1950* »P. P. Sonnabend den 15. X. 49 Brief an einen Deutschen, der mir Liebeserklärungen zu Serenus Zeitblom schickte.« Die Anmerkung dazu bringt den Text des Briefes: »Die Wahrnehmung tut mir doch wohl, daß es in Deutschland auch Leute gibt, die an dem Werk meines Alters, und an meinem Werk überhaupt, etwas zu lieben – und nicht nur zu mäkeln – finden. Im Grunde ist es dumm von den Deutschen, daß sie immer das Beste, was sie gerade haben, und was sie vor der Welt anständig vertritt, herunterzerren und schimpfieren müssen. Das tut kein anderes Volk.«

Mit Besorgnis sehe ich, daß von der Demonstration der 350 000 in Berlin gegen Ausländerhaß hier nur die kleine Gruppe der Randalierer im Fernsehen erscheint, in der »Los Angeles Times« ist am Montag auf der Titelseite nur das Foto des mit Eiern bekleckerten Präsidenten zu sehen. Daß die recht hatten, die den Regierungsmitgliedern »Heuchler!« entgegenriefen, ist klar, daß es ihnen unerträglich sein konnte, wenn die Regierung sich diese Massenbewegung ins Knopfloch heftete, auch – es ist eine der typisch deutschen Mausefallen, daß man das Richtige manchmal auch zusammen mit den falschen Leuten tun und seine zwiespältigen Gefühle dabei ertragen muß

und immer wieder die Frage an mich: Was ist in Deutschland los, und ich versuche auch mir zu erklären, aus welchen Untiefen der deutschen Seele diese Ausbrüche von Haß und Gewalt kommen, mit denen in Deutschland auf jede Art von Verletzung des unglaublich schwachen Selbstgefühls geantwortet wird, der Teufelskreis, daß Jugendliche aus dem Gefühl der Demütigung eine starke Identität in einem wieder mal starken Deutschtum suchen, das wiederum Gegenreaktionen hervorrufen muß, die zu neuem Auftrumpfen führen, und so weiter, in eine Steigerung hinein, die ich mir nicht vorstellen will

erfahre, daß man auf der Haut des »Eismannes« – jenes vor 5500 Jahren gestorbenen mumifizierten Mannes, den man vor einem Jahr am Rande eines Gletschers in den Alpen zwischen Österreich und Italien gefunden hat – magische Zeichen entdeckte: je ein Kreuz auf jedem Knie, und auf dem Rücken auf beiden Seiten Gruppen von parallel zueinander verlaufenden Strichen, je zwei oder drei. Mir fällt auf, daß ähnliche Striche die Höhlenforscherin Barbara König in vielen Höhlen gefunden hat, und wieder bin ich eigentümlich bewegt von diesen frühesten Zeugnissen des Menschseins, was heißt, der Überschreitung des engen Zirkels, der dem Tier durch seine materiellen Bedürfnisse und ihre Befriedigung gesetzt ist

und möchte genau bestimmen, auf welcher Stufe des Menschseins MEDEA mit den Ihren steht, an welche Nahtstelle sie gestellt ist, welche Zerreißproben ihr also zugemutet werden von den westlich orientierten Korinthern, ihr, der Barbarin aus dem Osten – wie Euripides sie unverhohlen nennt.

Ich fürchte mich vor dem Aufstehen, wahrscheinlich wird mein Gelenk wieder blockiert sein, ich werde zuerst nicht laufen können, auch die Feldenkraistherapie kann ein zerstörtes Gelenk nicht wieder aufbauen, ich denke an meine Unlust, diesen Text weiterzuführen, denke, wie ich es mir erlaube, später aufzustehen, früh einfach im Bett noch zu lesen, herumzutrödeln mit unnötigen Handgriffen, die Maschine, die an der Schmalseite des Tisches, an dem ich jetzt arbeite (nicht mehr im Office, schon lange nicht mehr), als unzumutbare Mahnerin empfinde, ich ertappe mich

36

dabei, wie ich mit mir selbst rede, unwirsch, wie ich eine klemmende Schublade anschreie, komm doch schon, du Biest, wie ich mitten in der Küche stehe, das Handtuch in der Hand, und laut sage: Es muß ja nicht sein, ja was denn, aber ich weiß es ganz genau, weiß es auch in meinem Frisierstuhl, sehe, daß Claudia die Haare sehr sorgfältig, aber sicherlich zu kurz schneidet, »summercut«, aber das macht ja nichts, auf einmal weiß ich, daß ich Heimweh habe, regelrechtes bohrendes Heimweh, denn es hat ja keinen Sinn, zu leugnen, daß dieser Text viel langsamer wächst, als die Zeit vergeht, die hat es eilig, Weihnachten, das ich gerade noch beschreiben wollte, ist lange vorbei

weißt du noch, wie wir in der sehr warmen, aber verschleierten Sonne auf einer Bank im Ocean Park saßen? Wie du dann über die Brücke, die die Straße nach Malibu überwölbt, hinuntergingst an den Strand, ich sitzen blieb; daß dann, aber das habe ich dir nur erzählt, die verschiedensten Leute vorbeikamen, darunter auffallend viele, die Russisch sprachen, dann wollten zwei smarte junge Männer in blütenweißen Hemden mir eine Mormonenbibel aufdrängen, da stellte ich mich, als verstünde ich sie kaum, als würde ich auch kaum ein Wort Englisch sprechen, da ließen sie es bei einem Leaflet bewenden, das mir mitteilte, daß Gott auch mir für meine Sünden seinen Sohn geopfert habe, und ich dachte, wie uralt dieses Opfern der Söhne durch die Väter ist, die nicht abtreten wollen, und daß MEDEA, wie ich sie damals sah, überhaupt keine Art von Opfer mehr ertragen kann und daher zwischen allen Parteien steht, ein Denken und Empfinden in sich heranwachsen fühlt, für das es keinen Ort gibt, damals nicht und heute nicht, ich müßte eigentlich, dachte ich, die beiden blütenweißen jungen Männer, die ein Stück weiter ihre Bibel bei einer Frau losgeworden waren, fragen, wie grausam eigentlich ein Vater sein muß, daß er seinen Sohn einem gräßlichen Opfertod überantwortet – ihn zum Beispiel in den Krieg schickt, immer wieder in Kriege schickt –, ich konnte mir die pure Verständnislosigkeit auf ihren Gesichtern vorstellen, und ich auf meiner Bank wunderte mich, daß die vielen Gläubigen, die ihren Gott als einen Gott der Liebe sehen wollen, sich solche einfachen Fragen nicht stellen, und ich mußte mir sagen, daß ich, in meiner gläubigen Periode – die allerdings anderen Göttern galt –, mir auch eine Menge einfacher Fragen nicht gestellt habe und daß ich das nicht vergessen und mich nicht über andere überheben sollte, dann kam ein japanisches Pärchen und setzte sich auf das andere Ende der Bank, und der junge Mann streichelte dem Mädchen den Nacken, sie turtelten miteinander, dann fotografierte er sie, und sie gingen weiter, es kamen die üblichen einsamen Läufer und Geher, durchgeschwitzt und zielstrebig, dann kam ein indianisch aussehender Mann, der sich einen Moment lang mir gegenüber ans Geländer lehnte, »Merry Christmas« sagte und fragte, ob er sich auf die Bank setzen könne. – Sure. – I am an Indian, sagte er, coming from Oklahoma. Er sei nur für zwei Tage hier, extra gekommen, um eine Freundin zu besuchen, aber er habe erfahren müssen, daß sie gerade nach Kentucky umgezogen sei; er sei eben weit gelaufen, von Venice bis hierher, er trug ein T-Shirt und hatte einen weißen Pullover um den Hals geknotet, er wollte wissen, wie ich heiße, und ich sagte ihm meinen Vornamen, während er Richard hieß, ich sagte: No Indian name, aber er hatte einen komplizierten indianischen Nachnamen, er gab mir am Ende des Vorstellungsrituals die Hand, die verkrüppelt war, ich fragte ihn nach seinem Job, aber er konnte nicht mehr arbeiten, wegen der Hand, ein Autounfall, very bad. Und dann kam, worauf ich die ganze Zeit mit Unbehagen gewartet hatte: Do you have some change for me, und ich schämte mich, daß ich ihm sagen mußte, daß ich kein Geld bei mir hätte, denn du hattest es ja in deiner Jackettasche, ich bedauerte es sehr, er nickte. Are you married, wollte er wissen, und ich sagte ja, und mein Mann würde bald kommen, der habe Geld bei sich, aber Richard erhob sich, nice to have spoken with you, und ging, und das war nun meine erste Begegnung mit einem der native people von Amerika

und am Heiligen Abend saßen wir im Café Lago und aßen Fisch, weißt du das noch, und neben uns an einem kleinen Tischchen wie dem unseren saß eine Frau mit ihrer kleinen Tochter, wir kamen mit ihr ins Gespräch, so, wie man hier leicht mit Leuten ins Gespräch kommt, das Kind hieß Ronny und wollte nichts Grünes auf seiner Pasta, nur Tomate, und der Kellner war geduldig mit ihr wie die Mutter, wir waren in einem italienischen Restaurant, und nahm den ersten Teller einfach wieder weg, die Frau, kräftig, stark geschminkt, erzählte, daß sie bei einer Versicherungsgesellschaft arbeite und später mit Ronny noch zu einem Christmas-Gottesdienst gehen wolle, hinter ihrer Munterkeit schien sie traurig zu sein, sie war schließlich zu Weihnachten mit dem Kind allein, und an einem anderen Tisch, weißt du noch – ich wollte mir alles merken, es war das erste Weihnachten außerhalb von Deutschland –, saß ein junges schwarzes Pärchen, nach dem Essen, beim Dessert, überreichte er ihr ein Geschenk, etwas Viereckiges, in den Plastikbeutel einer Reinigung verpackt, sie packte es aus und begann zu strahlen, sie hielt es hoch, daß wir sehen konnten: Es war ein Bild, ein Gemälde, ein Doppelporträt von ihnen beiden, sie war selig, und es machte gar nichts, daß es ein sehr schwaches Bild war, vielleicht von ihm selbst gemalt. Übrigens waren die beiden auf diesem Bild von hellerer Hautfarbe als in Wirklichkeit.

Thomas Mann, *Tagebücher 1944–1946* »Pacif. Palis. Dienstag den 5. XII. 44 ... Störender und taktloser Artikel von Marcuse über meinen Atlantic-Aufsatz, vom ›Aufbau‹ bezweifelt und mir durch Franks zum Urteil vorgelegt. Dummheit.« Dazu in den Anmerkungen: »Ludwig Marcuses Artikel ›Wer darf sich ändern?‹ nimmt für TM – gegen die Angriffe in ›Atlantic Monthly‹ – das Recht auf Irrtum und Bekehrung in Anspruch ...; aber er möchte den Attackierten selbstbewußter und weniger apologetisch im Verhältnis zu seiner Vergangenheit sehen: ›Thomas Mann hat nicht nötig, zu verteidigen, daß er nicht mehr für Tirpitz ist. Aber vielleicht sollte man wünschen, daß er einmal, bei Gelegenheit, schonungslos über seine Vergangenheit schriebe – so schonungslos, wie es alle großen Bekehrten taten. Nicht seinetwegen, sondern unseretwegen! Nicht damit er als Sünder dasteht – wer hat ein Interesse daran? Sondern, um in jedem von uns die Abrechnung mit der eigenen Vergangenheit anzuregen. Die Selbstgerechtigkeit im Lager der Anti-Faschisten ist riesengroß. Weil sie nicht Bluttaten begangen haben wie Hitler, bilden sich sehr viele ein, ein gutes Gewissen zu haben. Wenn Thomas Mann an seinem Leben einmal zeigen würde, welche Schuld dem europäischen Intellektuellen an dem heutigen Zustand der Dinge zuzumessen ist, dann würde er eine sehr wichtige Tat vollbringen.‹«

Sprache. Allmählich kann ich beginnen, über die Unterschiede zwischen dem Englischen und dem Deutschen nachzudenken, jedenfalls bei dem reduzierten Gebrauch, den ich vom Englischen nur machen kann. Wieviel leichter ich sagen könnte: I am ashamed, als: Ich schäme mich, um wieviel näher das Deutsche bei ganz gleichem Wortlaut, bei ganz gleicher Bedeutung der Wörter, an meine Gefühlswurzeln heranreicht, sich an sie heranschleicht, sie umspielt, nährt sogar, sie aber auch schmerzhaft trifft, wie ja doch auch das englische Wort »pain« für mich niemals Schmerz bezeichnen könnte, mit dem ich es zu tun habe, it is painful, könnte ich ja ziemlich ruhigen Gemüts sagen, leichthin wie eine Lüge, während mir der Schweiß ausbricht bei der Vorstellung, sagen zu sollen: Es tut weh, und dabei an die Ursache des Schmerzes denken zu müssen, oder wie könnte »conscience« mir jemals das deutsche Wort »Gewissen« ersetzen, ein Wort, in dem die »Bisse« schon enthalten sind, die Gewißheit auch, wenn das Gewissen verletzt wurde, Gewißheit der Gewissenlosigkeit, darüber kann man sich ja niemals betrügen, und was könnte es mir nützen, »Reue« durch »Bedauern« zu übersetzen, »ich bereue« also als »I regret« auszudrücken, he – or she – regrets what he (she) has done. Ich bereue, was ich getan habe. Oder nicht getan habe, das geht nur auf Deutsch, vielleicht, weil es sich um deutsche Taten oder Unterlassungen handelt, die fremde Sprachen als Versteck, auch als Schutzschild

Verwundet

Die Jagd ist eröffnet. Eine Hirschin hat sich, durch Dik-
kicht womöglich, verfolgt von gefiederten Pfeilen, auf eine
Lichtung geflüchtet, die von starken, kahlen, sehr alten,
sonnenbeschienenen, teils morschen Baumstämmen gebildet wird. Wir sehen »Das Tier« in gestrecktem Lauf, allerdings eingekreist; auch zum Meer hin, im Bildhintergrund,
scheint ihm der Ausweg durch Blitze versperrt, und im Vordergrund deutet ein querliegender Zweig an, daß auch diese
Richtung ihm nicht offensteht – die Richtung auf den vielleicht teilnahmsvollen, jedoch unbeteiligten Betrachter zu.
Das Tier, androgyn offensichtlich, männliches Geweih,
Hoden, blickt uns an mit dem Gesicht einer Frau, das weder
Angst noch Selbstmitleid zeigt, gelassen eher, herausfordernd sogar behält sie uns im Auge. »Klein« will uns dieser
»kleine Hirsch« eigentlich nicht vorkommen, ein schönes,
stattliches Tier ist der Malerin da gelungen, die Hetzjagd
lohnt sich. Diese Hirschin ist, vielleicht endlich, allein, wir
sehen nicht, wer die Pfeile auf sie abgeschossen hat. Es sind
neun, einer steckt in der Kehle, aus der das meiste Blut
quillt. Daran sollte es ihr doch gelingen zu sterben – ganz
abgesehen von den anderen Wunden, deren eine von einem
Blattschuß kommt. Bleibt sie denn ungerührt? Leidet sie
überhaupt? Ihr Gesicht: ernst, nicht schmerzverzerrt.

»Wo ist mein Kind, wo ist mein Reh« – das deutsche Märchen kennt diese Verwandlungen auch, kennt den bedrängten Menschen, der sich in den Tierleib flüchtet, ein unsiche-

res Versteck, so gefährlich wie das Versteck der Frau im Männerkörper. Wie muß eine sich bedroht fühlen, die dieses doppelte Versteck wählt, Tier und Mann, und zugleich weiß, sie bleibt Zielobjekt, jeder Pfeil trifft, verletzt, schmerzt. »Das verwundete Wild« ist der zweite Titel dieses Bildes.

> Hast ein Reh du, lieb vor andern,
> Laß es nicht alleine grasen,
> Jäger ziehn im Wald und blasen,
> Stimmen hin und wider wandern.

Nichts vom wehmütigen Schmelz der deutschen Romantik, nichts vom Eichendorffschen Halbdunkel hat dieses Bild, es steht nicht im »Zwielicht«, ist klar, hart, konturenscharf, romanisch. »Surrealistisch«? Vielleicht. Frida Kahlo hat sich nicht nach dem Kanon der Surrealisten gerichtet, sie ist von ihnen als eine der Ihren erkannt worden. (»Ich weiß wirklich nicht, ob meine Bilder surrealistisch sind oder nicht, aber ich weiß, daß sie den offensten Ausdruck von mir selbst geben und daß sie die Urteile und Vorurteile von niemandem sonst berücksichtigen.«) Sie tut, was Kunst immer tat: Sie schöpft aus der Quelle des Unbewußten und übersetzt Erfahrung ins Bild. Die Erfahrung, ganz Frau und daher durch den Mann verletzbar zu sein, »gehörnt« durch den einzigen Mann, auf den es ihr im Leben ankommt, Diego, der nicht monogam leben kann, dabei Künstlerin, mit dem Zwiegeschlecht, das zur Schöpfung treibt, Frau, die auch Frauen liebt, Schmerzensfrau seit dem unseligen Unfall, der sie als Fünfzehnjährige buchstäblich durchbohrte, lebensfroh und todessehnsüchtig, in Widersprüche eingekreist. Oft ohnmächtig, in der direkten und in der übertragenen Bedeutung des Wortes.

Zwei Jahre vor der Inkarnation ihrer selbst als Hirschin, die zwar verfolgt, doch leichtfüßig, beweglich ist, malt sie das Bild »Die gebrochene Säule«: Frida, in ein Stahlkorsett gezwängt, das sie 1944 monatelang tragen mußte, eines der vielen Folterinstrumente, die über die Jahrzehnte hin an ihr angewendet wurden, ihr Körper durch einen Längsriß gespalten, die Wirbelsäule ersetzt durch eine mehrfach geborstene ionische Säule, die unter dem Kinn endet und sie zu einer unnatürlich geraden Haltung zwingt, um den Schoß das Lendentuch drapiert, das wir von Kreuzigungsbildern kennen. Der Hintergrund, eine Art wüster Landschaft, in jenem Farbton, grüngelb, der auf ihrer subjektiven Farbskala »noch größerer Wahnsinn und Geheimnis« bedeutet. Die von der untergehenden Sonne beschienenen Stämme um den »kleinen Hirsch« herum haben dieses Gelbgrün, überhaupt zeigt dieses Bild – außer dem Graubraun des Tieres und dem »zärtlichen« Meeresblau im Hintergrund, Ferne und Fernsehnsucht andeutend, alle Schattierungen von Grün, vom einfachen Grün, das für Frida Kahlo »warmes und gutes Licht« bedeutet, über Blattgrün: »Blätter, Traurigkeit, Wissenschaft. Ganz Deutschland hat diese Farbe«, bis zum Dunkelgrün, der »Farbe schlechter Nachrichten und guter Geschäfte«.

Es gibt ein Foto von Frida mit einem jungen Reh, das bei ihr lebte im Innenhof des Blauen Hauses in Coyoacan, in dem sie Leo Trotzki, mit dem Frida eine kurze Liebesaffäre verband, nach seiner Flucht beherbergt hatte und in das sie sich nach der ein gutes Jahr andauernden Scheidung von Diego Rivera zurückzog. Das Haus, in dem sie von da an wohnen blieb, wenn nicht eine Reise ins Ausland und die immer häufiger werdenden Krankenhausaufenthalte sie von diesem Haus trennten. Hier sammelte sie indianische

Kunst, unterrichtete Schüler, pflegte ihre Tiere – Affen, Papageien –, versammelte Spielzeug, Puppen um sich, sie, die ihr Leben lang darunter litt, daß sie keine Kinder bekommen konnte. Hierher kehrte sie zurück nach der Folter der Beinamputation, die sie auch seelisch nicht verwinden konnte. Sie trank, wurde abhängig von Drogen, vereinsamte, hielt sich an die kommunistische Partei, der sie seit langem angehörte. (Nach dem Mordanschlag eines KGB-Agenten auf Trotzki im Jahr 1940 wurden Diego und sie verdächtigt, im Komplott mit dem Mörder gewesen zu sein.) Politisch stehen sie beide in der Tradition des freiheitlichen, um seine Unabhängigkeit kämpfenden Mexico, das übrigens Emigranten aus Nazideutschland aufnahm, die wegen ihrer politischen Gesinnung von den Vereinigten Staaten abgewiesen wurden. Anders als Diego, der große Freskenmaler, hat Frida Kahlo für ihre Bilder, die meist sehr kleine Formate haben, keine politischen Themen gesucht. »Der kleine Hirsch« ist nur 22,4 x 30 cm groß. Man sagt, die neun Pfeile entsprächen neun Liebesverhältnissen Diegos mit anderen Frauen. Mag sein. Es gibt ein frühes Bild von der Kahlo, in dem eine Frau von Messerstichen verwundet gezeigt wird: »Nur ein paar kleine Dolchstiche« von 1935, damals ist sie selbst in einen anderen Mann verliebt gewesen. Damals war die Frau, nackt hingebreitet und der Verwundung durch den Mann ausgesetzt, das Opfer. Die Hirschin, zehn Lebens- und Leidensjahre später, blickt uns mit dem schönen Gesicht der Kahlo ruhig an – voller Leidenschaft und Stolz.

Salute, Talpe!

Oder: Was wissen wir von Maulwürfen?

Der gemeine Maulwurf, welcher über Europa und
Asien verbreitet ist, hat einen sehr weichen blau-
schwarzen Pelz und fleischrote Pfoten. Er lebt unter
der Erde, wo er sich eine komplizierte Wohnung und
verschiedene Gänge zu seinen Jagden gräbt, nährt
sich von Insekten und deren Larven, vorzüglich von
Regenwürmern und Engerlingen, und kommt nur in
den Sommermonaten des Nachts auf die Erdoberflä-
che, wo er dann Schnecken und Käfer frißt, aber auch
auf Mäuse und selbst kleine Vögel Jagd macht. Er
hält keinen Winterschlaf. Irrigerweise behauptet man,
der Maulwurf sei blind. Seine Augen sind zwar sehr
klein, besitzen aber ein ziemliches Sehvermögen und
können durch besondere Muskeln hervorgetrieben
oder so zurückgezogen werden, daß die dichte Be-
haarung sie völlig verbirgt. Durch die Erdhaufen,
welche er aufstößt, wird er dem Gartenbau schädlich,
ist aber sonst durch seine Vertilgung zahlloser schäd-
licher Insekten sehr nützlich.
Brockhaus, 14. Aufl., 1901/1903

Der Maulwurf literaris, eine Abart des gemeinen Maulwurfs, ist bisher nur in Südeuropa gesichtet worden. Sein
zentraler Bau befindet sich in Rom, von wo aus er eine Un-
zahl von Gängen, unterirdisch, hauptsächlich nach Osteu-
ropa, gegraben hat, die meistens im mehr oder weniger versteckten Bau eines Literaten enden. Mit seinen kleinen,
aber sehr scharfen Augen, die bei bestimmten Anlässen zu
Stielaugen werden können, und mit einer nur bei dieser

Maulwurfsgattung ausgebildeten Spürnase entdeckt und erschnuppert er unter Bergen von Papier dasjenige Konvolut, das ihm bekömmlich ist, und scheut weder Mühe noch List, wenn möglich aber Geld, ebendieses Konvolut in seinen Besitz zu bringen, es dem armen Literaten abzuschwätzen oder notfalls zu entwenden. Der Maulwurf literaris kommt paarweise unter der Deckbezeichnung SANDROUNDSANDRA vor, eine Art Doppelwesen, befähigt, unglaubliche Massen bedruckten oder beschriebenen Papiers in seinen eigenen Bau zu schleppen, um sie dort auf geheimnisvolle, wenig erforschte Weise in eines der merkwürdigsten Produkte jener Population, innerhalb derer der Maulwurf literaris lebt, zu verwandeln: Das Buch.

Bei dieser außenseiterischen, höchst ungesunden, um nicht zu sagen: unnormalen Lebensweise des in Frage stehenden Subjektes nimmt es nicht wunder, daß es sogar von anderen Untergattungen seiner eigenen Art, um wieviel mehr von den übrigen, eines vernünftigen Lebenswandels sich befleißigenden Geschöpfen mit einem gesunden Mißtrauen betrachtet und auf Abstand gehalten wird, obwohl, außer dem schon erwähnten allerdings ungeheuerlichen Papierverzehr, keine direkt schädlichen Auswirkungen aus dem Kontakt zwischen dem Maulwurf literaris und anderen Tieren beobachtet werden konnten, wenn man nicht ganz allgemein einem durchschnittlich normalen Lebewesen die Berührung mit einem – und gar einem Paar! – offensichtlich von einer fixen Idee unheilbar Besessenen dringlich abraten sollte.

Um dieser selbst für ein zwar scharfsichtiges, aber doch wohl gefühlsarmes Geschöpf wie den Maulwurf literaris fatalen Begleiterscheinung seiner unheilbaren Krankheit entgegenzusteuern, wirft er sich – wiederum zumeist als

Paar, hin und wieder aber auch getrennt als weibliches (»Sandra«) oder männliches (»Sandro«) Subjekt – mit einer an Herzlichkeit grenzenden, diese jedenfalls nachahmenden Fürsorge auf jene bedauerlichen Existenzen, die, selbst nicht ganz richtig im Kopf, es sich in denselben gesetzt haben, die Menschheit mit Entäußerungen ihrer ungezügelten Einbildungskraft überschwemmen und beglücken zu müssen, was natürlich, wie neuerliche Untersuchungen unwiderlegbar ergaben, nichts als grandiose Selbsttäuschung und Ausfluß ihrer unbezähmbaren Eitelkeit ist. Diese nun aber paßt genau in jene empfindlichen Empfangsorgane des Maulwurfs literaris, die geschaffen sind, auch noch verdünnteste Ausdünstungen jenes Eitelkeitsflusses zu wittern und ihn in die Lage zu versetzen, sie seinen zweifelhaften Zwecken zunutze zu machen, dergestalt, daß er den armen Hersteller von Manuskripten sogleich mit Schmeicheleien aller Art, von süßen bewundernden Worten bis hin zu materiellen Zuwendungen, zu umgarnen beginnt, bis dieser, womöglich noch durch Einladungen in den Zentralbau des Maulwurfs literaris oder in seinen in schöner Landschaft gelegenen Nebenbau nachgiebig gestimmt, nicht anders kann, als sich unter Seufzen und Stöhnen einige hundert Seiten beschriebenen Papiers vom Herzen zu reißen und sie der Gier des Maulwurfs literaris zu überantworten, um sie, zur Unkenntlichkeit verändert, erst nach Jahresfrist wieder in Händen zu halten und seine Herzensergießungen auf einem beliebigen Ladentisch als Ding unter Dingen wiederzufinden, dem rohen unverständigen Zugriff des gemeinen Publikums ausgeliefert.

Diese geheimnisvolle Metamorphose aber – einer der rätselhaftesten Vorgänge in unserem Lebenskreis – ist ganz allein das Werk des Maulwurfs literaris. Der Beobachter kann sich der Vermutung nicht enthalten, daß irgendeine von der Wissenschaft noch nicht erforschte Substanz in diesem merkwürdigen Geschöpf vorkommen muß, die es befähigt, ja: zwingt, Rückschläge, Schwierigkeiten und das Unverständnis seiner Umgebung nicht achtend, unser ganzes Territorium mit seinen unterirdischen Gängen zu durchziehen und zu unterhöhlen, wahrlich eine Sisyphosarbeit, der man auch als Außenstehender eine gewisse befremdete Bewunderung nicht ganz versagen wird. Jener schon mehrmals erwähnte Urheber beschriebenen Papiers aber, der übrigens auch in weiblichen und männlichen Formen vorkommt, scheint über die Jahre hin eine geradezu rührende Anhänglichkeit an seinen Maulwurf literaris zu entwikkeln. »SANDROUNDSANDRA«, kann man ihn – und sie – murmeln hören, »was nicht alles habe ich euch zu verdanken. Was wäre ich ohne euch. Wer kennte mich, wenn ihr nicht wäret. Wie hätte ich je den ungenügend gegen Regen abgesicherten Flughafen der schönen Stadt Palermo kennenlernen können ohne euch, wie die couragierten Frauen von Milano oder gar den auch euch anhängenden Schreiber Brandys. Wie steht mir noch die umbrische Landschaft vor Augen und euer Nebenbau dortselbst, vielliebe Maulwürfe, in dem ihr uns tagelang hausen ließet. Ach, möget ihr doch auch die nächsten fünfzehn Jahre noch fleißig weiter eure Gänge graben, die, das laßt uns doch gemeinsam hoffen, wenigstens ein kleines bißchen den verkrusteten und festgestampften Boden auflockern, auf dem wir sonst leben müssen.«

Soweit unser Autor, wie immer nicht objektiv, doch großmütig belassen wir ihm das letzte Wort.

Was tut die strenge Feder?

Liebe Schülerinnen und Schüler, liebe Lehrerinnen und Lehrer, liebe Eltern und andere Erwachsene,

wenn Franz Fühmann noch bei uns wäre, was ich mir in den letzten Jahren oft gewünscht habe, weil es mir am Herzen gelegen hätte, wie früher mit ihm über diejenigen Fragen zu reden, die uns, dessen bin ich sicher, beiden dringlich gewesen wären; wenn also Franz Fühmann heute hier sein könnte, dann würden wir uns nicht versammeln, um eine Schule nach ihm zu benennen. Armin Schubert und seine anderen Freunde vom »Sonnensegel« hätten es auch nicht nötig gehabt, einen solchen Vorschlag zu machen, denn Fühmann wäre ja ihr aufmerksamer, lernender und hilfreicher Begleiter geblieben; und es wäre für ihn gar nicht in Frage gekommen, sich zu Lebzeiten auf solche Weise ehren zu lassen. Ich bin froh über diese Art, an ihn zu erinnern, mehr noch: mit ihm zu leben; denn dies war die Art und Weise, in der ihr, Schülerinnen und Schüler, Lehrerinnen und Lehrer, hier in Jeserig ein Jahr lang Fühmann nähergekommen seid, so daß ihr heute wißt, wessen Namen eure Schule tragen wird, und ich es nicht nötig habe, euch, Ihnen zu erzählen, was Fühmann geschrieben hat, Titel aufzuzählen oder seinen Lebenslauf zu memorieren. Ich kann es mir wohl erlauben, von den Gedanken und Gefühlen zu reden, die in mir aufstiegen, als ich, dieser kleinen Rede wegen, wieder einmal in den Büchern von Fühmann las, und davon zu erzählen, wie ich ihn kannte.

So wie auf dem Wandbild an eurer Schulmauer sah er ja schon lange nicht mehr aus. Zwar kannte ich ihn noch so, einen körperlich beeindruckenden Mann, gut im Fleische, der mächtig aß und trank. Dann, auf einmal, nachdem wir uns monatelang nicht gesehen hatten, trat mir ein hagerer Mensch entgegen, mit eingefallenen Wangen und großen Augen, die wie von einem Dauerschreck geweitet waren – ein Mann, den ich kaum erkannte und dessen Anblick mir zuerst unheimlich war; der beinahe jede Speise strikt ablehnte: Das war die Erscheinungsform, in der er sich jetzt zeigen und auch selbst erkennen wollte. Eine jahrelange rigorose Selbstkasteiung hatte sie hervorgebracht. Es lehrte mich etwas über seinen Umgang mit sich selbst, der streng, manchmal gnadenlos war.

Er war ein Mensch der andauernden und gründlichen Selbst-Prüfung, eine Anstrengung, die ihn gleichzeitig verzehrte und zum Schreiben trieb. Seine besten Bücher sind Zeugnisse und Produkte dieser Auseinandersetzung, in der er immer wieder seine Gewißheiten, auch und zuerst die über sich selbst, vernichtete und sich extremen Fragen stellte; er war davon überzeugt, daß ein Schreibender zuerst mit sich selbst ehrlich sein müsse, daß er anders kein Recht hätte, an Leser heranzutreten. Das bedeutet aber, bei seinem Charakter und bei einem Leben, wie Fühmann es zu führen hatte, daß alle seine Bücher »Herzens- und Schmerzensgeschichten« sind, wie er eine seiner früheren Erzählungen genannt hat.

Selbstverständlich werdet ihr die Bücher von Franz Fühmann lesen, die er direkt für euch geschrieben hat, also zum Beispiel seine großen Nacherzählungen der großen griechischen Epen des Homer; dazu schreibt er im Januar 1967 an seinen Lektor, der »sein Bemühen unter den Begriff Strenge« gestellt hatte: »Und was tut die strenge Feder? Sie schreibt Kinder- und Jugendbücher, das ist besser als nichts und besser als Falsches. Nach der Odyssee die Ilias. Der Blinde war schon ein großartiger Mann, und wie er seinen Herren, den Parvenüs des Kriegeradels, die von der Literatur vor allem Haus- und Stammesreklame verlangten, den Spiegel vorhielt, ohne daß sie es merkten, wie er ihre Dummheit, Roheit, Kulturlosigkeit, Barbarei, Ungeschlachtheit, Brutalität und Schäbigkeit schildert und dabei unentwegt mit Wendungen wie ›sagte der edle Held‹ – ›der herrliche König‹ parodistisch kontert und gleichzeitig seinen Auftraggebern Sand in die Augen streut – das ist schon eine Wucht. Und wie viele merken's heute noch nicht.« Das zitiere ich nicht, um erneut die Frage aufzuwerfen, ob Homer wirklich ein gebrochenes Verhältnis zu seinen Auftraggebern hatte oder ob Fühmann das in ihn hineinsehen wollte, sondern um euch darauf aufmerksam zu machen, daß ein Schriftsteller von Fühmanns Art, auch wenn er sich scheinbar weit zurückliegender Stoffe annimmt, immer aus seiner Gegenwart, aus seinem Konfliktfeld heraus dazu getrieben wird – und das war eben für Fühmann eine ihn über Jahre tief beschäftigende Notwendigkeit, sich den Anforderungen *seiner* »Auftraggeber«, die er lange ernst genommen hatte, zu entziehen, schließlich mit ihnen zu brechen. Es war ein Lebenskonflikt.

In dem Buch »Die dampfenden Hälse der Pferde im Turm von Babel«, das ihr ja auch schon beim Wickel hattet und das ich nur jedem Kind über dreizehn – was sag ich: über elf, zwölf – warm empfehlen kann, steht von Fühmann eine Widmung vom Dezember 1978, als er es uns schenkte. »Am Anfang war das Wort«, zitiert er da Goethe, um fortzufahren: »– bloß was ist am Ende?« Er zählt dann alle Mitglieder unserer Familie auf, denen er das Buch widmet, einschließlich unserer damals sechsjährigen Enkeltochter, und unterschreibt: »herzlich und hilflos, Franz«. Als ich das wieder las – ich hatte es vergessen –, fiel mir vieles ein, was für ihn, Fühmann, aber nicht nur für ihn, zu dieser Formel »hilflos« geführt hatte, ein Wort, das in anderem Zusammenhang und in manchen Briefen bei ihm als »Ohnmacht« auftaucht. Dies war eine tiefgehende Erfahrung, und kaum einer hat sie sich so schwer werden lassen wie Franz Fühmann: daß die Gesellschaft, der er sich aus seiner frühen Lebensgeschichte heraus tief verbunden und verpflichtet fühlte, nicht, wie er lange hoffte, seine kritische Mitwirkung brauchte, seine Mitwirkung an dem Prozeß der Entwicklung in diesem Land DDR, den er – und wiederum: nicht nur er – sich als Entfaltung aller schöpferischen Kräfte vorstellte, die doch, so meinte er, das gemeinsame Ziel der Verantwortlichen, der Funktionsträger wie auch der sogenannten »einfachen Menschen« sein mußte. Das war ein Grundirrtum, an dem er sich abgearbeitet hat.

Sicher können sich Kinder und Jugendliche, die heute sechzehn, gar erst zwölf Jahre alt sind, kaum noch vorstellen, daß der Zusammenbruch der Hoffnungen, die er in eine Gesellschaft, einen Staat setzte, für einen Mann wie Fühmann die Lebensenttäuschung war. Wahrscheinlich habt ihr, als ihr euch auf diesen Tag vorbereitetet, gehört, daß Fühmann, der elf Jahre alt war, als der Nationalsozialismus in Deutschland an die Macht kam, als Kind und junger Mensch führergläubig, fanatisch begeistert war von dieser Ideologie, die alle die komplizierten Probleme der modernen Industriegesellschaften, mit denen der einzelne, gerade der einzelne Jugendliche, so schwer zurechtkommt, wie mit Zauberschlag ganz einfach machte, indem sie sowohl Verdienst und Heldentum als auch Schuld und Verantwortung auf Angehörige verschiedener Rassen schob: hier der gute Deutsche germanischer Rasse, der nur seinem Führer folgen muß, um recht zu handeln und überlegen zu sein, dort der böse Jude semitischer Rasse, die Quelle für alles Unheil dieser Welt. Dieses Denken ist ein grauenvoller, verhängnisvoller Wahn, gleichwohl hat es viele Deutsche in seinen Bann geschlagen, hauptsächlich, weil es sie von persönlichem verantwortlichem Handeln entlastete. Fühmann hat viele Jahre seines Lebens daran gewendet, diesen Wahn in sich auszurotten, anders kann ich das nicht nennen; er hat nie versucht, seine Teilhabe an ihm zu leugnen, im Gegenteil, eher hat er sich mehr Verantwortung auferlegt, als er in Wirklichkeit hatte. Ich wage mir kaum seine Verzweiflung vorzustellen, wenn er jetzt erleben müßte, wie junge Leute unter Emblemen und Symbolen dieser schauerlichen Vergangenheit und unter den gleichen oder ähnlichen mörderischen Simplifizierungen wieder auf Brandstiftung, auf Mord und Totschlag ausziehen. Irre ich mich, oder habe ich recht, wenn ich denke, daß ein Kind, das mit Fühmanns Büchern aufgewachsen ist, es nicht nötig hat, sich in solche Banden hineinzubegeben, deren Kameraderie jemanden anziehen mag, der nie eine wirkliche Beziehung zu anderen Menschen erlebt hat und der nicht imstande ist zu unterscheiden zwischen solidarischer Freundschaft und blindem, vernageltem Komplizentum.

Dies ist ein Grund für meine Freude über eure Entscheidung, eurer Schule Fühmanns Namen zu geben: Wenn ihr es ernst nehmt, tut ihr euch damit einen großen Gefallen, weil ihr nämlich, euch in Fühmanns Bücher versenkend, ermutigt werdet, euch selber ernst zu nehmen. Das kann zu einer großen Heiterkeit führen, gewiß nicht zu Trübsinn und Kopfhängerei, gewiß nicht zur Angeberei derer, die sich zu wichtig nehmen, die nur noch sich wichtig nehmen, ach, ihr kennt die alle schon oder werdet sie kennenlernen, sie werden euch vielleicht viel Kummer machen. Führmann haben sie viel Kummer gemacht, sie und die Bürokraten, die jede Meinung, die sie zu hören kriegen, mit der Meinung vergleichen, die ihr Vorgesetzter verlautbart hat und sie danach bewerten und weitermelden, und die Feiglinge, die fein still für sich eine andere Meinung hegen, als die Mehrheit sie äußert, zum Beispiel in einer Versammlung, auch in einer Schulklasse, die sie aber nicht sagen, die höchstens dem, der es gewagt hat, seine eigene Meinung laut zu äußern, hinterher, auf dem Gang, verstohlen die Hand drücken.

Mit denen allen hat Führmann es zu tun gehabt, genug und übergenug, und er hat sich mit ihnen herumgeschlagen, er hat sich aufgerieben in diesem Kampf, der manchmal darin bestand, seinen Parteioberen etwas über die inneren Gesetze der Kunst zu erzählen, die allerdings zu diesem Zeitpunkt von der öffentlichen, jedenfalls der veröffentlichten Meinung ganz anders verstanden und gehandhabt wurden; ein anderes Mal legt er sich mit einem Ministerstellvertreter an, um zu erreichen, daß ein Brief von ihm veröffentlicht wird. Dann wieder geht es um eine Anthologie, eine Sammlung von Gedichten, die junge Schriftsteller zusammengestellt hatten und die höheren Orts ein heftiges Mißfallen erregte und zu Verdächtigungen Anlaß gab. Führmann läßt nicht nach in der Verteidigung dieser jungen Dichter, wie er überhaupt viel Aufmerksamkeit, Zeit, Hingabe verwandte an junge Menschen, die er für begabt hielt: Er ganz persönlich fühlte sich dafür verantwortlich, daß ihr Talent sich entwickeln konnte und nicht unterdrückt wurde.

Er bestand darauf, daß er sich wenigstens in die Literatur einzumischen habe, von der er etwas verstand, und ihr könnt euch kaum vorstellen, in welche Schwierigkeiten man geraten konnte, wenn man dies einfach tat. Was für ein Apparat zum Beispiel in Bewegung gesetzt wurde, wenn eine Gruppe von Schriftstellern bekanntgab, daß sie die Ausbürgerung eines ihrer Kollegen aus politischen Gründen mißbilligte. Fühmann gehörte natürlich zu dieser Gruppe, und ich habe ihn beobachten können, mit welchem Ingrimm er in den nachfolgenden Querelen seinen Standpunkt verfocht. Nein, feige war er nicht.

Über sein Gedicht »Lob des Ungehorsams« habt ihr euch Gedanken gemacht. Mir ist eingefallen, daß es noch eine andere Auswirkung von Ungehorsam gibt als die, die das siebte junge Geislein erfährt, das sich, aus Neugier ungehorsam, gegen das Verbot der Mutter im Uhrenkasten vor dem bösen Wolf versteckt und so sein Leben rettet: Nicht immer, eigentlich meistens nicht, wird Ungehorsam, das heißt – eigenständiges Denken und Handeln, belohnt, oft bringt es, in der landläufigen Meinung, erhebliche Nachteile, und da steht man denn vor der Frage, was einem wichtiger ist, sich selbst kennenlernen und mit sich ins reine kommen oder in Übereinstimmung zu sein mit der landläufigen Meinung; und, das kann ich euch versichern, das ist eine Frage in jeder Gesellschaftsordnung, die ich bisher kennengelernt habe – es waren drei –, und sie verlangt immer wieder eine genaue persönliche Entscheidung. Diese Entscheidungsfindung, Fühmanns innerer Roman, zieht sich durch alle seine Texte und gibt ihnen ihre unnachahmliche innere Spannung.

Die Widmung, die er uns in sein Buch von den dampfenden Hälsen der Pferde geschrieben hat, habe ich inzwischen nicht vergessen. »Herzlich und hilflos.« Das Jahr 78, an dessen Ende er das schrieb, das Jahr nach der Ausbürgerung jenes Kollegen (Wolf Biermann), von der ich schon sprach, hatte ihn zermürbt und ihm Hoffnungen geraubt, die er als Illusionen erkennen mußte. Es war auch das Jahr, in dem er sich in seinen großen Essay zu Georg Trakl versenkte, der zu einer rückhaltlosen und gegen sich selbst rücksichtslosen Durchmusterung seiner eigenen Entwicklung, auch ihrer Irrtümer und Fehlläufe wurde und, da bin ich sicher, eines der herausragenden Selbstzeugnisse deutscher Dichter in diesem Jahrhundert bleiben wird. Aber natürlich sah er voraus, auf welch militantes Unverständnis dieser Text in seinem Lande treffen würde.

Es begannen die Jahre ohne Hoffnung, ohne Alternative. 1978 muß auch das Jahr gewesen sein, in dem er unsere Grübeleien über die Frage: Sollen, können wir hierbleiben, in der DDR, die sich immer mehr verkrustete, unsere Wirkungsmöglichkeit nach außen immer mehr einschränkte – eine Protestbewegung von unten war damals noch nicht in Sicht –, oder müssen wir weggehen, wie andere Kollegen es taten? – das Jahr also, in dem Fühmann unseren Dauerdialog über diese Frage mit der Formel beantwortete: Ärzte, Pfarrer und Schriftsteller sollen hierbleiben, solange sie können – womit er zeigte, in welche Kategorie von Lebenshelfern er sich, uns *auch* einordnete (daß seine Hauptarbeit das Schreiben war, daß er auf diese oft einsame Tätigkeit zurückgeworfen war, wußte und sagte er seit langem immer wieder). Aber wenn jemand, so hat Franz Fühmann die Pflichten wahrgenommen, die er sich auferlegte, Pflichten der Verteidigung von zu Unrecht Angegriffenen; die Fürsprache für Hilfesuchende; der Ermutigung anderer Autoren, die ihn mit Manuskripten überhäuften; der materiellen

Hilfe für Bedürftige; der Teilnahme an Projekten für behinderte Kinder und vieles andere, was ihm täglich zugetragen, zugewiesen wurde. Für sie alle hat es sich gelohnt, daß Führmann den schwierigen Weg der Selbstbehauptung hier auf sich genommen hat; er hätte ihnen gefehlt. Aber sie hätten ihm auch gefehlt, ihre Briefe, ihr Zuspruch, ihre dringlichen Fragen auf Lesungen, ihre Anforderungen, die ihn in Spannung hielten. Daß sie ihn auch überanstrengten, ist sicher.

Die andere, die Hauptspannung ging für Führmann von dem Konflikt aus, den er jahrzehntelang in allen seinen Texten austrug, in den er sich verbiß; den er, wenigstens im Werk, benennen und womöglich auch lösen wollte, am Beispiel seiner Gesellschaft, in der er ihm zugespitzt entgegenkam: der Konflikt zwischen Geist und Macht; zwischen oben und unten; zwischen der dogmatischen Ideologie und einem eingreifenden Denken; zwischen dem einzelnen und der Gesellschaft; alles Themen, die Führmann nicht von außen beobachtet, sondern schmerzlich an sich erfahren, in sich durchgearbeitet hatte und die nun, seit Jahren schon, auf einen Stoff zuliefen, ihn zu diesem Stoff hinführten, der ihm als sein Haupt- und Lebensthema erschien, an dem er sich als Mensch und Künstler zu bewähren habe: Das Bergwerk, ein wahrhaft ungeheures Vorhaben, von dem er oft gesprochen, für das er bis zur Erschöpfung gearbeitet, gesammelt, konzipiert und geschrieben hat. Das Bergwerk als konkreter Ort: Führmann ist in Kali- und Kupferbergwerke eingefahren und hat sich mit den Arbeitern und den Arbeitsbedingungen vertraut gemacht; das Bergwerk als Gleichnis für den Konflikt zwischen menschlicher Arbeit und der Natur, aber auch als Metapher für Vielschichtigkeit, Tiefe. Auch als phantastischer Schauplatz für die unterirdischen Geister – dies alles als Spiegelung der menschlichen Seele in dieser Zeit, ihrer unbewußten Untergründe und Abgründe. Ich weiß noch, wie erschrocken ich war, als Fühmann mir sagte, er habe das Manuskript abgebrochen, er sei daran gescheitert. – Ich kann hier nicht versuchen, zu ergründen, warum er zu diesem Schluß kam; ich glaube aber, daß die Hoffnungslosigkeit, das Gefühl des Scheiterns, wie er es in seinem Testament als »bittersten Schmerz« formuliert: »gescheitert zu sein: In der Literatur und in der Hoffnung auf eine Gesellschaft, wie wir sie alle einmal erträumten« – daß dieses Gefühl sich auf seinen Körper ausgewirkt hat, der diese Krankheit zum Tode hervorbrachte, und auf seine Arbeitslust und Arbeitsfähigkeit. Nicht jeder Konflikt ist jedem Menschen zu jeder Zeit lösbar. Fühmann, auf Wahrheit und Wahrhaftigkeit aus wie wenige, hat das am eigenen Leib erfahren.

Ist das nun ein trauriger Schluß? Soll ich so ernst auf einer Feier sprechen, die einen heiteren Anstrich hat, mit Recht, und auf der so viele Kinder und junge Leute sind? Wißt ihr, wissen Sie, Franz Fühmann hat sich immer gegen die Verfälschung und Verleugnung von Ernst, von Krankheit und Tod gewehrt. Als ich ihn zum letztenmal im Krankenhaus besuchte, hatte er die Totentanz-Bilder seines Freundes, des Malers, Grafikers und Holzschneiders HAP Grieshaber, an den Wänden seines Krankenzimmers aufgehängt. Ich muß doch wissen, mit wem ich es vielleicht bald zu tun habe, sagte er; es war vor einer seiner letzten Operationen, und er meinte den Tod. Er würde es sich nicht wünschen, daß der Widerspruch seines Lebens, der Widerspruch in ihm selbst, verniedlicht und verkleinert wird: Das würde seine Leistung verkleinern. Und es liegt an uns, wir haben es in der Hand, dieses Verdikt des Scheiterns für ihn aufzuheben: indem wir den Faden seiner Arbeit da aufnehmen, wo er ihn fallenlassen mußte; indem wir uns den Fragen stellen, die er uns zurückgelassen hat; indem wir unser Zusammenleben darauf prüfen, ob es Menschlichkeit befördert oder Entfremdung; indem wir seine Bücher zu unseren Begleitern machen und ihn so brauchen, wie er es sich wünschte, gebraucht zu werden.

Dies alles scheint mir heute und hier der Fall zu sein. Insofern ist dies eine glückliche Stunde für den Schriftsteller Franz Fühmann und für uns alle, für die ich denen, die sie möglich machten, dankbar bin.

Nirgends sein o Nirgends du mein Land

Der Entschluß, bei Lebzeiten eigene Briefe zu veröffent-
lichen, bedarf wohl einer Begründung, auch wenn, wie ich
beim Wiederlesen fand, die Briefe, die Franz Fühmann und
ich einander schrieben, von mir nicht kommentiert werden
müssen. Sie sind Zeugnisse aus einer Periode, die inzwischen als abgeschlossene Geschichte betrachtet und häufig
so behandelt wird, als hätten die in dieser Zeit Agierenden,
auch die Schreibenden – Bücher, Briefe Schreibenden –, das
Ende der Epoche, an deren Widersprüchen sie sich rieben,
als Ahnung, oder sogar als Ziel, ihren Handlungen unter-
legen sollen. Ich kenne niemanden, der das tat, so unter-
schiedlich gerade Autoren sich auch verhielten: Selbst
diejenigen, die sich am deutlichsten den Vertretern und Institutionen des Staates konfrontierten, gingen davon aus,
daß dieser Staat dauern werde, mögen sie das heute wahrhaben wollen oder nicht. Dieser selbstverständliche Denk-
und Handlungshintergrund war es ja, der die Konflikte
schärfte, an denen wir uns über Jahre hin abarbeiteten, Veränderung einklagend, uns selbst verändernd. Und diese Art
»Arbeit«, die wir mehr und mehr als gemeinsame sehen
lernten, hat Franz Fühmann und mich zusammengebracht.
 Die Unkenntnis über die konkreten Umstände, unter
denen in der DDR Literatur entstand und Schriftsteller
miteinander umgingen, ist ein Grund für mich, diese authentischen Zeugnisse zur Verfügung zu stellen, auch wenn
ich nicht annehmen kann, daß schon die Zeit dafür ist, sie

ruhig wahrzunehmen. Zu tief haben sich Vorurteile – genau wie Nach-Urteile – über die Rolle derjenigen Schriftsteller eingefressen, die in der DDR geblieben sind, zu sehr werden diese Vorurteile noch gebraucht und beeinträchtigen das Vermögen zu differenzieren. – Ein zweiter Grund, unseren Briefwechsel zu publizieren, ist die Beobachtung, daß das Verschwinden der Strukturen, in denen wir arbeiteten und das Fühmann nicht mehr erlebt hat, als Zeitraffer wirkt: Viel schneller als unter »normalen« Umständen wird ein Zeitabschnitt »historisch«, mit betäubender Geschwindigkeit werden die, die diesen Abschnitt überlebt haben, anderen und sich selbst zu historischen Figuren. Dies kann man als Desaster sehen oder als Chance, vielleicht ist es beides, jedenfalls befördert es die Distanz zu den eigenen Hervorbringungen, übrigens auch zu den Aufgeregtheiten der Gegenwart: Auch sie wird einmal dem kühlen Blick der Nachgeborenen ausgesetzt sein.

Die Briefe markieren auch in meinem Leben ein wenn nicht abgeschlossenes, doch versunkenes Kapitel. Inwieweit Personen, die sich vor einem bestimmten gesellschaftlichen Hintergrund bewegt, sich auf ihn bezogen haben, ganz oder teilweise in Mitleidenschaft gezogen werden, und in welchem Sinn, wenn dieser Hintergrund sich auflöst, sich radikal verändert – das wäre eine nicht uninteressante Frage. (Interessant für wen?) Sie betrifft Franz Fühmann nicht: Diesem letzten Umbruch, den seine Generation erfahren hat, hat er sich durch den Tod entzogen. Fühmann, sieben Jahre älter als ich, also einer der wenigen seiner Generation, die den Zweiten Weltkrieg überlebt haben, hat von einem gründlichen Bruch seiner Existenz zum nächsten gelebt; er hat sein Leben in Zwölf-Jahres-Rhythmen unterteilt und sprach gelegentlich davon, daß die nächste Zäsur ihn und uns wahrscheinlich in einem Lager ereilen würde, in dem man uns isoliert hätte – eine Erfahrung, die wir noch nicht gemacht hatten, wohl aber er, nämlich in der Gefangenschaft, und er riet uns dringend, uns einen inneren Vorrat erzählbarer Geschichten anzulegen; der Erzähler werde nämlich in der unendlichen Öde des Lageralltags von den anderen Insassen dafür, daß er ihnen die Zeit verkürze, in der Regel mit Brot belohnt. Dies sei der unwiderleglichste Beweis für die elementare Bedeutung der Literatur, den er kenne.

Makabre Scherze, die gehörten zu ihm und zu unserem Umgang miteinander. Fühmann konnte eine Art grimmiger Genugtuung hervorkehren, wenn er wieder einen Befund zutage gefördert hatte, der ihn einer zunehmend düsteren Wahrheit näher brachte: In diesem Sinn war »Das Bergwerk«, sein letztes großes abgebrochenes literarisches Unternehmen, eine Metapher für die Tiefenschürfung, die er sich in seinem letzten Jahrzehnt als Schriftsteller auferlegte. Der Gang in den Hades – er, mit dem Mythos lebend wie wenige, hat den Sinn dieses von altersher unvermeidlichen Wegs in die Unterwelt, dieses nie bis zu Ende entschlüsselbaren Gleichnisses für Wandlung, für schmerzhafte Selbstfindung, für Tod und Wiedergeburt, sehr wohl gekannt. Er hat um die ungeheuren Möglichkeiten gewußt und um die ungeheuerlichen Gefährdungen, denen der sich aussetzt, der diesen Weg dennoch geht, aber er hatte keine Wahl. Er konnte nicht ausweichen. Er mußte die Fragen, die ihn bedrängten, aufs äußerste zuspitzen, bis in die Nähe der Selbstvernichtung, das täte er heute wohl auch. Ich denke, seine Briefe bezeugen, daß die Herausforderung, der er sich stellt, um so schärfer wird, das Messer, das man selbst ansetzen muß, um so tiefer ins eigene Fleisch schneidet, je tiefer man mit dem Objekt, das man untersuchen, sezieren muß, einst verbunden war.

Dies war unser Fall, und dies hat uns, bei allen Verschiedenheiten des Geschlechts, des Alters, des Temperaments, der literarischen Mittel und Ziele einander nahegebracht, hat uns in den Zeiten der größten Annäherung das Gefühl gegeben, »daß wir einander zuarbeiten«. Freundschaft ist ein großes Wort, ich habe lernen müssen, es sehr sparsam anzuwenden, Franz Fühmann habe ich als Freund gesehen: mitdenkend, mitfühlend, unbedingt verläßlich. Einmal sind wir, zu dritt, zusammen in Ungarn gewesen, er folgte den Spuren von Atilla József, dem proletarischen Dichter, mit dessen Lebenskonflikt und Schicksal Fühmann sich identifizieren konnte, wir begleiteten ihn, diese Reise war unser erstes großes ununterbrochenes Gespräch über das, was uns viele Jahre lang Tag und Nacht bedrängte und schließlich zur Verzweiflung brachte: Wohin das Land trieb, in dem wir lebten, wohin es getrieben wurde, und ob wir etwas tun könnten, die zunehmend unheilvolle Richtung zu beeinflussen. Das haben wir schließlich aufgeben müssen; er schlug sich noch mit den Institutionen herum, weil er nicht glauben wollte, daß sie unverbesserlich waren; oder weil er, weil wir so tun mußten, als wollten wir es immer noch nicht glauben, wenn wir etwas Bestimmtes erreichen wollten. Er war es dann, der, rigoros auch gegen sich selbst, aus der Erfahrung der Vergeblichkeit den Schluß zog, er sei gescheitert. – Mir scheint, nicht sehr viele Lebensleistungen können sich messen mit der dieses Gescheiterten.

Im Jahr seines Todes hat er mir seinen Band mit Essays, Gesprächen und Aufsätzen geschenkt. Als Widmung schrieb er hinein: »Liebe Christa, NIKDE = Kein Ort. Nir-

gends – (S. 278) man hat halt immer das gleiche Ziel. Ganz
herzlich, heute und immer Franz.« Auf der Seite 278 beginnt er seinen Nachdichtungsversuch des »berühmtesten
Gedichts von František Halas« mitzuteilen, jenes Gedichts,
das »Nikde« heißt. Er würde, schreibt Fühmann da,
»heute seinen Titel am liebsten mit ›Kein Ort. Nirgends‹
wiedergeben«, und er berichtet getreulich, wie er bei seinem Eindeutschungsversuch, an dem er »durch ein Jahr-
fünft geschuftet« habe, zu der ersten Zeile dieses Gedichts
gekommen ist:
Nirgends sein o Nirgends du mein Land
»Nirgends sein« sei »existentiell, ein Wunsch, eine Sehnsucht«, es »wachse aus dem Reflektieren der bedrängenden
Realität«. »Nirgends sein, das heißt sowohl: ich will im
Land Nirgends sein, es in mir tragen, aber um dieses Innen
willen muß das Außen zerstört sein. ... Der Gang zum Nirgends als ein Gang in die unteren Lehme wird der Gang in
die Mythologie.« Der Gang zu den Müttern, unter die
Oberfläche, zu den Gründen für die Heillosigkeit der Gegenwart, zu den Ursachen auch für die eigene Verstrickung
in dieses heillose Geflecht – ich denke, wir wären uns nahe
geblieben.

Zwar weiß ich, es ist kein Zufall, daß Franz Fühmann
den nächsten tiefen Einschnitt, den von 1989, nicht erlebt
hat, die Lähmung an seiner Lebenswurzel war nicht zu hei-
len, etwas in ihm hatte entschieden, es gehe auch ohne ihn;
doch kann ich mich des Wunsches nicht erwehren, er wäre
noch bei uns; er wäre weiter auch an meiner Seite, mit seinem absoluten Gehör für echte und unechte moralische
Töne, mit seiner Zornes- und Leidensfähigkeit, mit seiner
unermüdlichen Anstrengung, »geistige Angebote zu machen, wenn auch die Gesellschaft ihre meisten Energien

verbraucht, sich zu zerstören. Ein Moloch«; mit seinem Mut, im Grenzbereich zwischen zwei Wertesystemen zu leben, die Zerreißprobe auszuhalten; mit seiner Begabung, Mittler zu sein, das heißt, die undankbarste Rolle bewußt zu übernehmen; mit seiner Radikalität, mit der er seine Irrtümer bekannte und analysierte, es gibt kaum Schwereres; mit seiner herzwärmenden Solidarität; mit der Kühnheit, mit der er sich, schreibend, dem blinden Fleck dieser Zivilisation näherte: »Alles um das Humanum. Alles um Hoffnung.«

Auf verlorenem Posten »Würde« wahren, um Selbstbehauptung kämpfen, es lernen, ohne Perspektive und ohne sichtbare Alternative zu leben, darum ging es, wir wußten es; wußten, daß wir nicht unangefochten aus dem Dilemma herauskommen würden, in dem wir steckten, aber vielleicht ging es ja nicht darum, unanfechtbar zu bleiben, vielleicht mußten wir nicht fremden, sondern eigenen Maßstäben zu genügen trachten, die wir manchmal täglich neu finden mußten, denn es ist ja kennzeichnend für sich zersetzende Verhältnisse, daß diejenigen, die immer noch ihren eigenen Maßstäben gerecht werden wollen, nie das Gefühl loswerden, sie könnten nichts mehr »richtig« tun. Aber vielleicht ging es nicht mehr um »richtig« oder »falsch«; vielleicht ging es ja darum, einen Platz nicht zu verlassen, und wenn es auch ein Platz war mit dem Rücken an der Wand, und wenn wir ihn auch noch so unvollkommen, so fehlerhaft, unter noch so vielen zermürbenden Selbstzweifeln und Selbsttäuschungen verteidigten: So redeten wir, außerhalb der Briefe, die so viele nicht zustande kommende Verabredungen festhalten, wenn wir uns dann doch trafen, in unserer Berliner Wohnung, am Rande von Tagungen; wenn wir unsere Lage von verschiedenen Seiten beleuchteten, und

mal der eine, mal die andere nach Auswegen suchte, die uns
aber, wie wir einsehen mußten, nicht freistanden (»Kann
man vor seiner eigenen Geschichte in den Westen gehen?«),
das sehe ich heute noch so, heute wieder: Hier, am Ort des
tiefsten Schmerzes, an dem Ort, der uns am gründlichsten
in Frage stellte, war unser Lebensstoff. Dies wird für manche, besonders Jüngere, nicht mehr vorstellbar sein. Man
kann es belächeln, bestreiten, ignorieren. Aber so ist es gewesen.

Daß er den Herbst 89 hätte miterleben und mitgestalten
können – das hätte ich ihm dringlich gewünscht, dies hätte,
glaube ich, auch seiner Erfahrung, die er von Grund auf
durchlebte, eine nicht geahnte weitere Dimension gegeben:
Es zeigte sich, der Funken, den wir manchmal für erloschen hielten, war doch nicht ganz ausgetreten worden, auf
einmal kam, wenn auch wie immer in der Geschichte nur
für kurze Zeit, die kreative Seite der Widersprüche doch
noch hervor, richtiger: sie wurde hervorgeschleudert als un-
aufschiebbares Verlangen nach der Befriedigung der wirklichen, lebenserhaltenden Bedürfnisse und gab den Menschen, die wir zu kennen glaubten, veränderte Gesichter,
neuen Mut, eine andere Sprache.

In den letzten Jahren hat Fühmann auf den Kopf seiner
Briefbogen die erste Strophe des Goethegedichts drucken
lassen, das auch ich seit langem auswendig kenne und oft
memorierte und memoriere:

> Übers Niederträchtige
> Niemand sich beklage,
> Denn es ist das Mächtige
> Was man dir auch sage.

»Wanderer! Gegen solche Not / Wolltest du dich sträuben?«
Was anderes könnte er heute tun, als weiter zu versuchen,
das Wichtige vom schnell Vergänglichen zu trennen und,
was Sache der Literatur ist: das Unkenntliche kenntlicher
zu machen, mag sein ein altmodisches Unterfangen. Auf
sich bestehen, indem er sich weiter, immer tiefer gehend,
befragte. Diese seine neuen oder alten Fragen und das, was
er darauf antwortete, hätte ich gerne von ihm gehört.

Zur Person: Günter Gaus

Lieber Günter Gaus,

nicht der »alte Adam« oder die »alte Eva« – jene beiden Personen, die Sie von allen Damen und Herren unserer Kulturgeschichte am innigsten lieben und mit denen Sie Ihre oft verdutzten Gesprächspartner am häufigsten konfrontieren, sondern ausgerechnet ich soll Ihnen zum Geburtstag gratulieren. Das hätte ich ja sowieso getan, nur unterscheidet sich eine öffentliche von einer privaten Gratulation. Worin eigentlich. In einer »privaten« hätte ich Sie wohl an den Streit gestern abend in unserer Küche erinnert – nicht, um ihn beizulegen, sondern um ihn fortzuführen. Warum sollte ich das nicht auch öffentlich tun können, besonders da ich Ihnen eine Antwort schuldig blieb und ein Ehrgeiz mich treibt, sie nachzureichen. Sie erinnern sich, es war der Wahlabend. Euphorisch waren wir nicht gerade, aber auch nicht sehr überrascht. Überrascht war ich, das gebe ich zu, eher von Ihrem unversöhnlichen Ernst, als wir – oder Sie? – auf jene Entwicklungen in unserer nun vereinten Nation zum Nationalismus hin zu sprechen kamen und als Sie Leute, die Ihrer Sympathie sonst sicher sein können, mit harschen Worten des unverantwortlichen Optimismus bezichtigten, obwohl, soviel ich sehen konnte, wir so Kritisierten nicht weit, gar nicht weit von Ihrer schweren Sorge entfernt waren. Mir kam es so vor, als würde schon die Haaresbreite eines Meinungsunterschieds in dieser Frage Zorn und Schmerz in Ihnen aufflammen lassen und, ich sagte es, unversöhnlichen Ernst.

Dabei ist doch sonst das Lachen, auch das Hohn- und Schadenfreudegelächter, Ihnen sehr lieb, übrigens auch eine bestimmte Art von halbverstecktem Lächeln und offenem breitem Grinsen: Jedem, wie er's verdient. Fast meine erste Erinnerung an Sie – natürlich bezieht sie sich auf die Ständige Vertretung der Bundesrepublik Deutschland in der Deutschen Demokratischen Republik – ist ein zu vorgerückter Stunde vor mir hockender Ständiger Vertreter, der sein Gesicht auf gleiche Höhe mit dem meinen bringen wollte (ich saß tief auf einem Schemelchen) und einiges mit mir beredete, was, wie wir beide hoffen mochten, in dem Stimmengewirr rundum den sicherlich empfindlichen Empfangsgeräten in diesem öffentlichen Raum entgehen sollte. Und ich entsinne mich, in welch kunstvollen Mäandern man bei Ihnen zu acht, oder zehnt, oder zwölft an der ovalen Tafel in Ihrer Residenz das Gespräch führte, so offen, daß diejenigen, die sich außer den Anwesenden dafür interessierten, getäuscht werden konnten durch unsere Arglosigkeit, aber akustisch eine Grenze nicht überschreitend, die durch Mienen, Blicke, Gesten wiederum mißachtet wurde. Ach, so kunstvoll reden wir nun nicht mehr miteinander, oder zueinander, oder, indem wir uns anzureden vorgeben, zu jemandem, der nicht anwesend ist. Nostalgie? Mitnichten, mitnichten. Unvergessen der Absturz in die Depression schon auf der Heimfahrt nach der gehobenen Heiterkeit des Abends bei Ihnen und Ihrer Frau.

Die DDR hat Sie verdorben, haben wir später manchmal zu Ihnen gesagt, ein Vorwurf – oder Lob? –, den oder das Sie entschieden zurückwiesen, mit Recht, glaube ich; denn wenn nicht die Möglichkeit in Ihnen gesteckt hätte, auf diese Art »verdorben« zu werden, eine fulminante vorurteilsfreie Neugier nämlich, dann wären Sie eben in aller

Ruhe auf Ihrem besser bezahlten »Spiegel«-Sessel sitzen geblieben, anstatt sich auf das schwer überschaubare, Ihnen gewiß sehr fremde Gelände jenes zweiten deutschen Staates zu begeben, den Sie nun, da er nicht mehr existiert, Ihren, unseren Landsleuten westlich der Elbe zu erklären suchen. Vermute ich richtig, daß ein Teil der Verzweiflung, die ich Ihnen manchmal anzuspüren glaube, daher rührt, daß Sie diese Bemühungen für wenig erfolgreich halten? Sicherlich: Das tonangebende Feuilleton und die von ihm beeinflußten Leser überzeugen Sie nicht, die zahlen Ihnen ihre eigene Unbelehrbarkeit mit schneidendem Tadel heim, aber das muß ich Ihnen nicht sagen, es wäre eine Retourkutsche, nicht wenig Zeit haben Sie daran gewendet, es *mir* beizubringen; denn natürlich lassen Sie es sich auch angelegen sein, Ihren Landsleuten östlich der Elbe zu erklären, wie der größere deutsche Staat funktioniert, der sich als der »eigentliche« sieht und dem wir nun alle angehören. Ein beharrlicher Brückenbauer, das muß man Ihnen lassen. Aber auch ein fein unbequemer Platz zwischen allen Stühlen, den Sie sich da durch mehrere Bücher, durch eine Reihe von (mich) jedesmal erhellenden Artikeln und, nicht zuletzt, durch jene Fernsehreihe verdient haben, die, von Ihrem ersten Beitrag vor mehreren Jahrzehnten an, ein eigenes Genre und einen eigenen Ton in dieses Medium nicht nur eingebracht, sondern, fast noch erstaunlicher, auch durchgehalten hat: nämlich eine faire, wenn auch nicht schonende, insistierende, neugierige, menschliche Art und Weise, einen Mann oder eine Frau »Zur Person« zu befragen – so daß die am guten Ende etwas mehr von sich selber weiß als vorher, ganz gewiß die Zuschauer Zeugen einer gleichberechtigten Begegnung zwischen zwei Menschen waren und, lassen Sie mich diese Vermutung äußern, auch

Sie sich über die Jahre hin besser kennenlernten, indem Sie sich durch Ihre Art, Fragen zu stellen, selbst kenntlich machten.

Sie wissen, daß diese Ihre Reihe »Zur Person« einmal zu den wichtigen Zeugnissen über unsere Zeit gehören wird, und Sie wissen sicherlich auch, daß Sie zu den glücklichen Menschen gehören, die in ihrem Leben genau das machen konnten und es, zum Teil, noch immer können, was allein ihre Sache ist; daß Sie Aufgaben an sich gezogen haben, die niemand anders so hätte erfüllen, ausfüllen können, und daß Sie die Gabe haben, sich mit Menschen zu verbinden, die Ihnen dabei zur Seite stehen; Sie werden mir gestatten, daß ich Ihre Frau an erster Stelle nenne und meine Freude darüber äußere, daß auch Sie selbst dies oft tun; aber auch in Freundschaften sind Sie treu und unangefochten durch den Wandel der Zeiten und die dadurch entstehenden oder absichtlich herbeigeführten wechselnden Beleuchtungen – das will ich gerne bezeugen. Ein Feingefühl, das sich auch in polternder Zurechtweisung ausdrücken kann; wissen Sie noch, das war im mexikanischen Restaurant hoch oben über Santa Monica, Kalifornien, die Sendung, deretwegen Sie Ihre Flugangst überwunden und mit Hilfe der Lufthansa und jenes Weines, den Sie an ihr schätzen, über den Ozean gekommen waren – ein Freundschaftsdienst sowieso –, die Sendung war im Kasten, wir waren beide sehr nervös, das Lampenfieber klang, jedenfalls bei mir, nur langsam ab, ich sagte etwas, das Sie kränkte, jedenfalls taten Sie so, fuhren mich an, ich hatte Lust, in Tränen auszubrechen, und unser junger Freund vom ORB saß staunend dabei und blickte von einem zum anderen. Eine Flasche jenes Lufthansa-Weines und den Rest des Whiskys aus Ihrem Handgepäck hinterließen Sie mir, als Sie zwei Tage später nach

Deutschland zurückflogen, wo zu Ihrer nicht geringen Verzweiflung der Kampf um die Macht in der Gegenwart wieder einmal in der Maske der Vergangenheitsbewältigung tobte (natürlich nur die der DDR, der andere deutsche Staat hatte ja keine Vergangenheit) und etwelche Biedermänner sich und die Nation mit Aktenfunden in Atem hielten, während gleichzeitig eine erkleckliche Masse von Besitz, insbesondere Immobilien, von Ost nach West rückübertragen und den kapitalschwachen Ostdeutschen durch die gründliche Änderung der Eigentumsverhältnisse auf sehr lange ihr Platz in der Hierarchie des vereinigten Deutschland zugewiesen wurde. Vorher aber saßen wir noch, erinnern Sie sich, auf jener Bank am Strand von Malibu und genossen den Augenblick, das Licht, die Wärme, das Gefühl, am äußersten Rand eines großen Kontinents zu sein, irgendwann sagten Sie, der Vorwurf, Sie hätten sich radikalisiert, träfe überhaupt nicht zu, nur habe sich das Land, in dessen Mitte Sie sich aufgehalten hätten, in kurzer Zeit so weit nach rechts bewegt, daß Sie sich auf einmal an seinem linken Rand wiederfänden. Opportunismus ist Ihre Sache nicht, ich weiß nicht, ob Sie das »Mut« nennen würden, was Sie praktizieren, vielleicht einigen wir uns auf Zivilcourage.

Dabei sind Sie doch – aber das ist ja kein Widerspruch – ein beharrlicher Fürsprecher des Rechts auf Anpassung für andere, für die gar nicht so »kleinen« Leute, die, wie Sie immer sagen, dem Zwang der Verhältnisse schärfer ausgesetzt sind als Sie und ich, dem alten Adam und der alten Eva eben, die Sie in der DDR in ihren Nischen aufgespürt haben, denen Sie nicht den leichtsinnigen Höhenflug des Ikarus anempfehlen, der bekanntlich mit Absturz endet, sondern den beständigen Handwerkerfleiß des Dädalus;

der nun aber, halte ich Ihnen dann vor, hat ja jene Flugmaschine nicht nur gebaut, auch erfunden, und wenn ein solches Ding erst mal gemacht ist, so muß sich ja einer finden, der es ausprobiert. Und vielleicht abstürzt. Aber das soll auf unseren nächstbesten Küchenkonferenzen, vielleicht wieder mal bei mecklenburgischen Flußkrebsen, beredet und in Spruch und Widerspruch hin- und hergewendet werden. Bis dahin haben Sie, gleicher Jahrgang wie ich, mich dann also im Alter eingeholt, Sie werden sehen, das ist gar nicht ein solcher Einschnitt, wie er uns eingeredet wird, und so erlaube ich mir, Ihnen zu wünschen, daß Sie auch in Zukunft zur Belebung der deutschen Szene beitragen und Ihren Freunden und Feinden in alter Frische begegnen mögen. Gesund solln Sie sein und noch viele Male mit Ihrer Frau über Amerikas Freeways fahren können und irgendwann vielleicht auch noch mal mit mir im Auto – es muß ja kein Mietwagen sein – durch eine schöne Landschaft – es muß ja nicht der Sunset-Boulevard von Los Angeles sein –, und dann sollten wir wieder gute Laune kriegen und lauthals jene Lieder singen, die wir gemeinsam kennen und die wir, das haben wir ja ausgemacht, niemandem verraten werden.

Ihre Christa Wolf

»Winterreise«

Wolfgang Heise zum Gedenken

Einmal, Anfang der sechziger Jahre, waren wir beide zufäl-
lig für einige Wochen im gleichen Sanatorium im Südosten
Berlins, ein Ort der strengen, das heißt reduzierten und
hauptsächlich aus Rohkost bestehenden Ernährung und
der strengen, das heißt hauptsächlich aus kalten Wässern
und kalten Umschlägen bestehenden Behandlung, der
gleichwohl eine Art Zufluchtsort für eine bestimmte Spe-
zies von Berliner Intellektuellen wurde – für jene nämlich,
deren zuerst inneren, dann immer häufiger äußeren Aus-
einandersetzungen mit Maßnahmen und Institutionen des
Staates oder der Partei, der die meisten von ihnen angehörten, sie in Konflikte und Krisen stürzten, die sich oft in psy-
chosomatischen Beschwerden ausdrückten. (Ich weiß
nicht: Nannten wir das damals schon so? Mein Interesse an
den Wechselwirkungen zwischen Psyche und Physis jedenfalls rührt aus dieser Zeit, da ich diese Wechselwirkung
an mir selbst beobachten konnte.) Herz- und Magen-
schmerzen also, Schlafstörungen, Kopfschmerzen, Atem-
not, Hautausschläge, die Ärzte hörten sich die Litanei an,
verordneten Rohkost, Kneippsche Anwendungen und vor
allem lange Spaziergänge. Bei mir war es das Herz, war es
bei Wolfgang Heise der Magen? Oder auch damals schon
das Herz, das ihm ja schließlich den Dienst verweigern
sollte? Schlafen konnten wir beide nicht. Also taten wir
uns für die langen Spaziergänge zusammen, atmeten die
würzige Luft der Kiefernwälder um die märkische Ort-

schaft, genossen die herbstliche Landschaft und redeten, redeten.

Daß es keine Tonbänder von solchen Unterhaltungen gibt! Sie hatten übrigens nach meiner Erinnerung, die viele Einzelheiten für immer verloren hat, eine gewisse Struktur, eine unwillkürlich sich herstellende Dramaturgie: Zuerst trugen wir beide Material zusammen, Wolfgang Heise aus den Bereichen Ideologie und Universitäten, ich aus der Sphäre der Kultur. Wir erzählten uns Vorfälle, Geschichten, Anekdoten, die wir für bezeichnend hielten, über die wir manchmal grimmig lachen konnten, redeten über Leute, die wir unter »vernünftig« oder unter »verbohrt«, »unvernünftig«, »dogmatisch« einordneten. Die Phase, in der wir einzelne Leute für die Zustände verantwortlich machten, die uns auf Herz und Magen geschlagen waren, hatten wir allerdings hinter uns. Es ging um tiefere, grundsätzlichere Einsichten, die natürlich schmerzlicher waren. Es ging um eine erste Bilanz der Jahre nach den Enthüllungen über Stalin; die fiel traurig aus. In immer neuen Beispielen – es war wie eine Sucht – maßen wir die Theorie an der Praxis. Redend, diskutierend gingen wir durch den Ort, vorbei am Bahnhof, dem gegenüber die Gaststätte lag, in der die Faster und Rohköstler ihre Bratwurst und ihr Schnitzel aßen und ihre verbotenen Zigaretten rauchten, wir liefen wenigstens die drei, vier Kilometer bis zur nächsten dörflichen Bahnstation, um eine Bockwurst zu essen und einen Apfelsaft zu trinken. Ich weiß noch, daß wir an einer Kiefernschonung vorbeikamen, erinnere mich noch an den schrägen Einfall der herbstlichen Sonnenstrahlen, als Wolfgang Heise sagte, wir müßten uns klar darüber sein, daß dieser Staat wie jeder Staat sei: ein Herrschaftsinstrument, und seine Ideologie wie alle Ideologie: falsches Bewußtsein.

Wir blieben stehen, ich weiß, daß ich fragte: Was sollen wir tun?, daß wir lange schwiegen und daß er schließlich sagte: anständig bleiben.

Das war kein Programm, aber ich habe oft daran gedacht. Wir konnten nicht wissen, wie viele und welche Gelegenheiten uns begegnen würden, da sich diese Parole zu bewähren hatte; wie viele Anlässe, da jeder sich selbst oder wir uns gegenseitig zu fragen hatten, was ist jetzt »anständig«, denn eine für jede Zeit und für alle Gelegenheiten gültige Definition von Anstand gibt es nicht, und wenn man anfängt zu relativieren, sind dem Irrtum und der Selbsttäuschung Tür und Tor geöffnet, auch das wußten wir, auch darüber redeten wir miteinander.

Es waren für mich erhellende Gespräche, sie markieren eine wesentliche Wegstrecke auf dem argen Weg der Erkenntnis. Wolfgang Heise war und blieb ein Aufklärer, er erfuhr und gab als Erfahrung weiter, daß eine immer neue »selbstverschuldete Unmündigkeit« hinter einer alten, überwunden geglaubten auftauchen kann und daß man dann eben auch diese neue unerschrocken zu bearbeiten hat. Doch war er ein Aufklärer, der Hölderlin las und liebte, der ohne bildende Kunst nicht sein konnte; öfter wies er auf das Bild von Harald Metzkes in seinem Zimmer, auf dem zwei alte Frauen inständig einem in sich versunkenen Mundharmonikaspieler zuhören, drei Köpfe von alten Menschen, eine Komposition, von der Trauer ausging, Melancholie. Wolfgang Heise vermittelte anderen seine Gefühle über ein Drittes: über das Medium der Kunst. Er hatte eine Leidenschaft für das Theater und umgab sich mit jungen Dramatikern – sie wurden die bekanntesten Stückeschreiber der DDR –, denen er nicht selten Vorschläge machte, welche

Stoffe jetzt und hier dringend von ihnen bearbeitet werden müßten. Immer kannte und kritisierte er ihre Texte als einer der ersten. Für einen der wenigen »dramatischen« Texte, den ich zusammen mit Gerhard Wolf verfaßt habe, hat er uns denn auch ein Nachwort geschrieben: Es war das Drehbuch zu einem Eulenspiegel-Film, das so nicht verfilmt worden war. »Der Schelm singt die Melodie, die versteinerten Verhältnisse zum Tanzen zu bringen«, schreibt er da. Dieses Marx-Wort war ja einer der geheimen Untertexte für alle unsere Arbeiten.

Mir hat Wolfgang Heise später eine Platte geschickt: die »Winterreise« von Franz Schubert und dem Dichter Wilhelm Müller, eine Aufnahme der Eterna-Schallplatten, besungen von Günther Leib. Vorher, auf einem unserer Spaziergänge, hat er mir ein Privatissimum gehalten über die gefrorenen Verhältnisse in Deutschland nach dem Wiener Kongreß und den Karlsbader Beschlüssen; wie jede freiheitliche Regung erstickt wurde; wie ein unverbindlich-kitschiges Biedermeier als Lebensgefühl die bessere Gesellschaft überzog; wie die Kunst, wollte sie ehrlich bleiben, tiefe Melancholie und Verzweiflung ausdrücken mußte, und sei es an einem scheinbar so intimen, politikfernen »Stoff« wie der Trauer über eine verlorene Liebe. Heise sah die Phase, in die die DDR damals eintrat, als eine restaurative Phase, und er wollte mir die Schubert-Lieder als eine Art Trost anbieten (»Wir sind die ersten nicht«), aber auch als versteckten Hinweis, wie sich die Kunst dennoch retten kann. Mag sein, daß er damals noch darauf hoffte, auch nach dieser Restauration werde es etwas wie ein Erwachen geben, die so lange gefesselten Kräfte würden sich befreien und entfalten können. – Er hatte mir das Richtige ge-

schenkt. Ich habe diese Platte Dutzende von Malen aufge-
legt, habe in den Jahren, die nun kamen und in denen die
Hoffnung erstarb, jenen »Zyklus schauerlicher Lieder«
immer wieder gehört.

Wir haben uns nicht sehr oft gesehen in jener Zeit – er
wohnte außerhalb von Berlin, und seine Arbeitsstätte war
die Universität –, aber ein Gefühl von Nähe ist mir immer
geblieben. Manchmal telefonierten wir, ich rief ihn an,
wenn ich eine Auskunft brauchte oder eine Bestätigung für
meine Meinung zu bestimmten Ereignissen: Ich hatte das
Gefühl, daß er ein untrügliches Maß für moralisches oder
unmoralisches Verhalten in sich trug, auch wenn, gerade
weil er selbst manchmal von Konflikten zerrissen war – die
er übrigens zu verbergen suchte. Das 11. Plenum des ZK
der SED, das die Entwicklung von kritischer Kunst und
kritischem Denken in der DDR zu drosseln suchte, der Einmarsch der Warschauer-Pakt-Truppen in Prag, die Ausbürgerung Wolf Biermanns und was sonst unsere Generation
aufwühlte – jedesmal waren wir uns einig darin, wie solche
Ereignisse zu bewerten waren; die Konflikte, die sich für
uns daraus ergaben, mußte jeder auf seinem Feld austra-
gen. Sie haben ihn, glaube ich, öfter an den Rand dessen gebracht, was er ertragen konnte und mittragen wollte. Wenn
ich Wolfgang Heise zwischendurch sah, erschien er mir an-
gestrengt, die Linien in seinem Gesicht tiefer eingekerbt
und nach unten gezogen, ein Ausdruck von beinahe er-
starrtem Ernst prägte die Züge. Er war ein sehr scheuer
Mensch, nie sprach er über sich. Selten erfuhr man von ihm
etwas über seine Kinder- und Jugendjahre als Sohn einer
Jüdin im Nazi-Deutschland, über seine Zeit im Arbeitslager
als Wehrunwürdiger. Er hat die tief eingefressene Verletzung aus jener Zeit in sich verschlossen. Um so schwerer

muß es ihm dann gefallen sein, eine Identifikation in Frage zu stellen, die ihm als junger Mann mehr noch als anderen seiner Generation zur rettenden Alternative geworden war. Aber er war ein redlicher Denker und wich dem Schmerz nicht aus. Die Art seines Todes – daß sein Herz überanstrengt war – und auch der Zeitpunkt dieses Todes kamen mir schon damals wie eine bittere Konsequenz seines Lebens vor.

Es scheint so, als hätte ich nur über den politischen Menschen Wolfgang Heise geschrieben, und es ist wahr, in meiner Erinnerung war unsere Beziehung durch politische und philosophische Diskussionen geprägt. Nur muß man wissen, in welchem Maß wir, viele Angehörige der Generation, der auch Wolfgang Heise angehörte, uns als »politische Menschen« sahen und wie weitgehend alle anderen Lebensgebiete und Lebensäußerungen von diesem Selbstverständnis berührt waren. Für mich gehörte Wolfgang Heise zu jenem Netzwerk von Freundschaften, das in keinem Geschichtsbuch erwähnt werden wird, das sich aber über das ganze Land erstreckte und uns leben half.

Im Stein

Ein Erwachen Aber vielleicht sollte ich damit nicht anfangen, frage ich dich, nicht jedesmal wieder mit dem Anfang anfangen, das heißt so tun als wüßte ich das Ende nicht oder als könnte ich mir immer noch einmal etwas aus der Lebensmasse / Stoffmasse herausschneiden, das mit Anfang beginnt und mit Ende endet, das heißt genaugenommen die Täuschung weitertreiben, aber vermiede ich denn die Täuschung, frage ich mich, wenn ich mit dem Ende anfinge, was hieße so tun als gebe es ein Ende solange ich lebe, als hätte ich mir nicht seit längerem klargemacht, daß alle die Buchstabenenden in allen den Büchern künstliche Abbrüche sind, abgetriebene Fortsetzungen oder wie soll ich das nennen ohne die Büchersprache zu bemühen

ein Erwachen also, das weiß ich noch, wie ein Michlösen aus einer zähen Materie / Schlamm, Asphalt? / Pelz in der Mundhöhle, Gewichte auf den Gliedern, verzögerte Bewegungen / Zeitlupe / ABER WIR HABEN JA ÜBERHAUPT KEINE EILE aber, will ich der Schwester sagen, die in Eile ist, ich habe heute nacht etwas gehört, einen Ton nämlich ein Schrillen das haargenau den Unerträglichkeitspunkt in meinem Trommelfell traf Immer schon, hätte ich unpassenderweise beinahe der Schwester gesagt die mir die Spritze verabreicht hat fast ohne daß ich es merkte, das erinnere ich mich, immer schon hätte ich gewußt wenn man mich foltern wollte könnte man das ohne weiteres mittels eines Geräusches tun / Konjunktiv / sehr laute Musik oder was sie heute

81

in Diskos so nennen würde genügen Wo war das doch, versuchte ich mich zu erinnern, während eine andere Schicht meines Gedächtnisses mir Stichworte zu dem Thema Folter lieferte um mir zu beweisen daß ich nicht immer schon über Foltermethoden nachgedacht habe, aber doch ziemlich früh gebe ich dieser Instanz Bescheid, wo war das doch wo ich das Lokal vor allen anderen verlassen mußte nicht zu Ende essen konnte weil ich den von der Musik erzeugten Ohrenschmerz nicht mehr ertrug Niedriger Schmerzpegel / bekannt / Aber jetzt wäre es an der Zeit, fiel mir ein, da die Schwester schon an der Tür wartete den Namen für das Insekt zu finden das mich nachts gepeinigt hat / Insekten werden uns Menschen und alle Säugetiere überleben, wo habe ich das gelesen / das ich vor mir sah in all seiner Schönheit und Bosheit mit seinen fragilen Fühlern und seinen winzigen Glupschaugen die pergamentenen Flügel mit den zierlichen überlangen Hinterbeinchen streichend und so jenen Ton erzeugend der sich durch die Tablettentaubheit in mein Hirn gebohrt hat So geht es mir jetzt oft wie du weißt Selbst bei Menschen die ich lange kenne und vor mir sehe bis zu den feinsten Härchen ihrer Augenbrauen / Bildergedächtnis / rückt mein Namensgedächtnis den Namen nicht heraus Heuschrecke sagte ich versuchshalber ACH SIE MEINEN UNSERE GRILLE DIE SICH FÜR DEN WINTER IM MAUERWERK HINTER DER HEIZUNG EINGERICHTET HAT Freudiges Erkennen

Eine Frage hatte sich durch die Schlamm / Asphaltschichten in meinem Gehirn durchgearbeitet mit fühllosen Lippen, das weiß ich noch, gab ich sie von mir Was sie mir denn zur Nacht gegeben hätten DIE ÜBLICHE DOSIS kam die bereitwillige Auskunft und daß sie nachwirkte erschien nicht unerwünscht Daß die Fähigkeit der Wahrnehmung nicht unterbrochen wohl aber die Schärfe der Empfindung abgestumpft war Wie versprochen

GLAUBEN SIE MIR SIE WERDEN NICHTS SPÜREN DAS WIRD NICHT IHR EIGENER KÖRPER SEIN VIELLEICHT IST ES JA AUCH EINE NEUE ERFAHRUNG FÜR SIE UNTERSCHREIBEN SIE HIER Woher sie wüßte daß ich noch eine neue Erfahrung machen wollte hätte ich sie fragen können Sie hätte es als Spaß verstanden Sie war sehr freundlich Sie beantwortete mir jede Frage ACHTZIG PROZENT ALLER PATIENTEN ENTSCHLIESSEN SICH FÜR DIESE NARKOSE Damit hatte sie mich das war mir klar Ich unterschrieb obwohl es mir klar war und obwohl ich nicht vergessen hatte daß ich entschlossen gewesen war auf dem Tiefschlaf zu bestehen Leicht belustigt sah ich mir zu, das weiß ich noch, wie ich das vorgegebene Muster bediente wieder einmal bediente Von wegen neue Erfahrung, dachte ich, daran erinnere ich mich Oder wollte ich etwa zu jenen zwanzig Prozent gehören die zu feige oder zu konventionell oder einfach zu dumm waren dieses Angebot anzunehmen / Sie wollen vermeiden mich umzubringen / Lach nicht Du sollst jetzt nicht über mich lachen, sage ich dir

JETZT WIRD ES ERNST HABEN SIE ANGST Sie treffen die Wörter nicht, dachte ich, ob du es glaubst oder nicht und schüttelte einfach den Kopf der mit dieser unkleidsamen aber praktischen Plastikhaube bedeckt war Sehr schnell kam es mir vor fuhren sie mich im Bett diesen langen kahlen Gang entlang Es gab Wegweiser die ich lesen konnte, erinnere ich mich Ich bin ganz bei mir, dachte ich Graue Decken über mir Die sollten sie neu anstreichen lassen, das muß ich ihnen danach sagen SO DA WÄREN WIR Konjunktiv, denke ich leicht irritiert Eine der

Marotten der Umgangssprache der ich später nachgehen will

Grüne Hölle Urwald Lianen Affen Gekreisch Grün reflektiert das Licht weniger grell als Weiß *Götter in Weiß* Mein Kopf eine Schutthalde für unbrauchbare veraltete abgenützte Wortverbindungen unrecycelbar schadstoffbelastete Versatzstücke Löschen löschen, dachte ich um neuen Platz zu machen Jedoch benutzen wir ja, wo habe ich das gelesen, nur einen Bruchteil unserer Gehirnkapazität so daß auf den allermeisten Verbindungen zwischen den Zellen meines Gehirns der Funkverkehr ruht vielmehr niemals aufgenommen wurde also von Verbindungen im eigentlichen Sinn gar nicht erst die Rede sein kann und jene neue Erfahrung die mir angeblich bevorsteht sich in meinem betäubten Gehirn zuerst einmal Bahn brechen müßte / Konjunktiv / WIR WARTEN NOCH AUF DIE INSTRU-MENTE aber sie werden sie mir nicht zeigen, dachte ich, die Instrumente und verspürte einen winzigen Anfall von Lachlust der wieder verging ehe er recht aufgekommen war

JETZT SETZEN SIE SICH BITTE AUF UND BEU-GEN SICH WEIT VOR JETZT TASTE ICH DIE GE-GEND UM IHRE LENDENWIRBELSÄULE AB JETZT SPÜREN SIE EINEN KLEINEN EINSTICH DIES WAR DIE LOKALANAESTHESIE JETZT SETZE ICH DIE NARKOSE SIE SPÜREN NICHTS

Die Schlangengöttin Der Schlangenbiß Örtlich betäubt Wenn ich hier wieder rauskomme, dachte ich, darf ich nicht vergessen und vergaß was ich nicht vergessen durfte

JETZT SCHIEBEN WIR SIE IN DEN OPERATIONS-RAUM *Grün grün grün sind alle meine Kleider* Farbenblind was Der Freund der Sohn des Polizisten der nicht mit Mädchen spielen sollte Das soll grün sein Blau ist dein Kleid

blau blau und alle Kinder unter den Akazien schrien blau
blau blau Tränenblind Du mußt noch viel lernen Kind Eintritt ein Marsmensch in Grün Das fand ich übertrieben, erinnere ich mich, dann verstand ich Alles war Täuschung
Dies war eine Entführung durch Außerirdische die sich an
mir nicht infizieren wollten Täuschung das menschliche
Auge hinter der Sichtscheibe des Raumfahrerhelms Ich
habe euch durchschaut sollte ich rufen Bleibe stumm Der
Marsmensch spricht meine Sprache aber tun sie das nicht
alle JETZT MUSS ICH SIE ANPINSELN ZUR DESIN-
FEKTION DAS KÜHLT EIN BISSCHEN DAS GELBE
ZEUG WÄSCHT SICH SPÄTER WIEDER AB Der Mars-
mensch beugt sich über mich und atmet gefilterte Luft
durch den gelenkigen Schlauch
WAS WOLLEN SIE HÖREN WIR HABEN EINE
GROSSE AUSWAHL MOZART ABER BITTE SEHR
SITZEN DIE KOPFHÖRER SIE BESTIMMEN DIE
LAUTSTÄRKE
Ein Stück Fleisch auf der Schlachtbank
NEIN NEIN SEHEN WERDEN SIE NICHTS Der
Bügel über den die grünen Tücher geworfen werden die mir
die Sicht verwehren Das Auge als wichtigstes Sinnesorgan
wo habe ich das gelesen *Zum Sehen geboren zum Schauen
bestellt* Daß ich hören riechen schmecken kann scheint sie
nicht zu beunruhigen Beunruhigt es mich *Augen meine lie-
ben Fensterlein Gebt mir schon so lange holden Schein Einmal werdet ihr verdunkelt sein* Das Stadtschreiberhaus in
Zürich Das Licht über dem See Ich habe es gesehen Der
Tastsinn soweit er sich in den Fingerspitzen versammelt ist
ausgeschaltet Der rechte Arm ausgestreckt und durch die
Kanüle in der Ellenbogenbeuge an das Infusionsgerät angeschlossen Der linke Arm erhoben und angebeugt mit

breitem Riemen an den Bügel geschnallt DAMIT SIE
NICHT ETWA AUS VERSEHEN MITARBEITEN WOL-
LEN

Wenn ich hier wieder rauskomme darf ich nicht vergessen immer ein Papier bei mir zu tragen das ihnen verbietet
im Falle eines unheilbaren Leidens die Agonie zu verlän-
gern dadurch daß sie mich an ihre Maschinen anschließen
JETZT BEWEGEN SIE BITTE IHREN GROSSEN ZEH
Das geht nicht JETZT HEBEN SIE MAL EIN BEIN AN
Aber das geht doch nicht AUSGEZEICHNET DIE NAR-
KOSE SITZT DAS WAR DER TEST Den Test in Fühl-
losigkeit habe ich bestanden, dachte ich

Jetzt stecke ich im Stein Jetzt steckt mein Unterkörper
mit angezogenen Beinen im Stein DAS IST JA GANZ NA-
TÜRLICH DAS IST DAS LETZTE WORAN IHR GE-
HIRN SICH ERINNERT DASS SIE MIT ANGEZOGE-
NEN BEINEN AUF DEM RAND DER PRITSCHE
SITZEN Sie haben mein Gehirn überlistet Sie haben ihm
eine Erinnerung an einen Augenblick aufgezwängt der
längst vorüber ist Sie haben die Bahn zwischen meinem
Kopf und den Beinen unterbrochen Es ist zum Staunen
aber ich fürchte mich nicht *Das Unausweichliche mit Würde
tragen* wo habe ich das gelesen Übrigens ist es ja Unsinn So
mag das meiste was ich gelesen und meinem Gehirn einge-
speichert habe / auf die Umlaufbahnen in meinem Gehirn
gebracht habe / schlicht und einfach falsch sein abgenützt
wie die Gelenke verbraucht Und wie mag es kommen daß
mir das zunehmend gleichgültig wird / das Alter? / daß mir
die Berichtigungs- und Beschwichtigungsversuche zunehmend lästig werden Mir kommt es so vor, überlegte ich, als
trieben nur Trümmer von vor Lichtjahren zerplatzten Pla-
neten hinter meiner Stirn und als könnte ich nichts anderes

mehr tun als ihnen zusehen / Konjunktiv / VIELLEICHT
IST ES JA AUCH EINE NEUE ERFAHRUNG FÜR SIE
Eine neue Erfahrung in Überdruß, fragte ich mich *Der
Mensch ist so jung wie seine Gelenke* / Buchtitel /

Zwei weitere Marsmenschen in ihren grünen Raumanzügen passieren gemächlich / schwerfällig mein Gesichtsfeld
Schwerelos? DER CHEFARZT BESTEHT AUF DIESER
MONTUR DIE GRÖSSTE DRECKSCHLEUDER IM
OPERATIONSSAAL SEI DER MUND DES CHIRUR-
GEN / Konjunktiv / ICH BLEIBE HINTER IHNEN SIT-
ZEN DIE HERREN FANGEN JETZT AN

SKALPELL Sind wir denn im Kino

Mozart dreht auf Schneiden einschneiden ins Fleisch
schneiden ins eigene Fleisch schneiden Oboen und Flöten
oder was sind das für Instrumente Anwesend und nicht
dabei sein Sie haben die Sehnsucht erfüllt die wir nicht aus-
zusprechen wagen den Horror vor der Verletzung des Kör-
pers besiegt Medusa, dachte ich, Gorgo Medusa in deren
Kult der süße Klang der Flöte eingebettet war Medusa die
Sinnende nicht immer eine Schreckensgestalt sondern einmal das herrlichste und beneidetste unter allen Wesen Medusa die Herrscherin Der Zeussohn Perseus muß der Schlafenden das Haupt abschlagen damit ihr Blick ihn nicht
treffe der ihn versteinern würde / Konjunktiv / Den Helden,
Drachentöter Schlangentöter Die Stelle in meinem Kopf
die weiß daß sie mein Fleisch öffnen ist wach Die Stelle in
meinem Kopf die den Schmerz spüren müßte ist eingefroren im Stein So blickt er in den Spiegel seines blanken Schil-
des, nicht wahr, und trennt der Frau das Haupt vom Rumpf
mit einer Harpe / Sichel die ihm Athene gibt, die dem Vater-
gott willfährig war Sie haben sich immer zu helfen gewußt,
sage ich dir

DAS IST JEDESMAL WIE SCHWEINESCHLACH-
TEN Die Maske die sich die gezähmte / zivilisierte / Athene
anheftet / Medusa die Fürchterliche / Die wilde Frau der
man nicht ins Gesicht sehen kann Der der Mann / Perseus
Donner und Blitz entreißt um sie dem Zeus zu überbringen
Medusa aus deren blutendem Rumpf das Pferdchen Pega-
sos entspringt das Flügelpferd der Poesie aus dem Rumpf
der sterbenden Frau So soll es sein So mußte es werden Der
Spiegel der Kunst erspart dem Künstler das Hinstarren auf
die Untat und die Versteinerung durch Entsetzen

TUT IHNEN IRGEND ETWAS WEH Nein nichts Oder
wäre es dir lieber du spürtest das Messer / Konjunktiv / Lä-
sterlicher Gedanke Enthemmte Kopfgeburten Die Narkose
verweigern bei der Geburt der Kinder Dabei sein wollen Den
höchsten Augenblick genießen Der Blutgeruch der den Des-
infektionsgeruch durchdrang erinnerte mich daran Perseus
Muttermörder Das war der Schritt aus der Steinzeit und alles
was wir seitdem tun oder unterlassen ist eine Folge dieser ersten Untat Spiegelfechtereien um ihr nicht ins Gesicht zu
sehen Und doch, mußte ich denken, versteinern wir ganz allmählich Schwester Medusa Stiefschwester Athene Fleisch
von euerm Fleisch Doch werden ihre Messer eure Spur in
mir nicht finden oder in irgendeiner meiner Körperhöhlen

Dreh dich nicht um der Plumpsack geht um Und ich habe
mich immer umgedreht, mußte ich denken, immer der Neugier gehorcht Unbezähmbare Neugier Da wirft mir der
Kinderfreund den Stein an die Brust *Das ist die Strafe* Dreh
dich nicht um oder du versteinst Mit dem Stein um den
Hals ins Wasser Die Hexe / Wahrheitsprobe / Mit Steinen in
den Taschen in den Fluß Virginia *Beobachte unaufhörlich.*
Beobachte den Eintritt des Alters Beobachte die Gier. Beob-
achte meine eigene Verzweiflung. Dadurch wird sie nützlich.

BLUTDRUCK IN ORDNUNG PULS NORMAL

Ja Mozart ja Pauken und Trompeten Jubilieren Sie nur Süßer Schmelz Ihrer Geigen Schmerzensmann In die Schmerzfreiheit eingefroren haben wir das Jubilieren verlernt Dreh dich nicht um Steinlandschaft Ruinenfelder aus denen im Zeitraffer Häuser wachsen Die Menschenkette sie werfen sich Ziegelsteine zu Die scharfen Kanten die durch die Handschuhe ins Fleisch schneiden Erinnerter Schmerz Jetzt wird der Grundstein gelegt *Stein auf Stein Stein auf Stein Das Häuschen wird bald fertig sein* Steinhäuser Steinmauern Eine Steinmauer an der der Schmerz abprallt Zum Steinerweichen Dreh dich doch um

Sie kommen vorwärts einwärts knochenwärts DAS IST WIRKLICH DER ALLERDÜMMSTE JOB WENN MAN ALS LETZTER ASSISTENT NUR DASTEHEN MUSS UND STUNDENLANG DEN HAKEN HALTEN Die Wunde offenhalten So reden wir gleichnishaft und tun alles die Wunde schnell zu schließen Jede Wunde zu schließen Vergessen Vergessen Vergessen heißt leben Oder du steckst dir Steine in die Tasche und gehst in den Fluß *Liebster. Ich glaube, daß wir eine solche schreckliche Zeit nicht noch einmal durchmachen können. Darum tue ich, was mir in dieser Situation das beste scheint. Du bist mir alles gewesen, was einem einer sein kann. Alles, außer der Gewißheit deiner Güte, hat mich verlassen.* Sie weiß daß der Tod das einzige Erlebnis ist das sie nicht beschreiben wird

Nabelstein Vom Nabel abwärts im Stein Auch das Geschlecht im Stein Für immer frage ich mich Entsagen Der Fleischeslust entsagen, dachte ich und wartete auf den Schrecken ... *doch das Fleisch ist schwach* Wonach graben sie denn in meinem schwachen Fleisch Nach welcher Wahrheit Welche Auskunft soll ihnen in Geistesabwesenheit das

Fleisch geben Worüber könnte es zu ihnen sprechen / Konjunktiv / Über die Schwäche des Geistes nehme ich an die sich im Fleisch niederschlägt oder ausdrückt oder manifestiert oder wie soll ich das nennen Denn der Geist kann sich nicht selber tragen oder verwirklichen oder aufgeben Das Fleisch gibt den Geist auf Das hätte mir auch früher schon einfallen können

Querschnittsgelähmt Ich suche die Stelle im Kopf die für den großen Zeh zuständig ist Ich mache eine starke Anstrengung den großen Zeh zu bewegen Da rührt sich nichts Herr Mozart Mein Kopf findet meinen großen Zeh nicht mehr Vielleicht rührt sich da niemals mehr etwas So lassen Sie doch ihren Taktstock sinken Ihre Klänge können einem auch lästig werden *Gegenklänge* heißt das Kandinskybild Farbklänge erinnere ich mich / jene Stelle im Kopf die für Farben zuständig ist erinnert sich / in mattgrün mattrot braun gelb schwarz mit wenigen Tupfern angriffslustigen Rots

Das steinerne Herz Urangst aus Kindertagen Schwere Wahl Das Herz aus Stein das dich grausam und unverletzlich macht oder das angstvoll fühlende und mitfühlende Herz das jeder Stein trifft Jeder Stein aus jeder Richtung trifft / Typisch Märchen Schauermärchen / *Schon Dante empfand ja in den Steinwürfen der Knaben die seine Vertreibung aus Florenz begleiteten daß auch der Wurf eines Wichtes Gewicht hat* Ah Dante

Wenn Menschen schweigen werden Steine schreien Die Schatten der Leute von Hiroshima auf den Steinen

Wer will fleißige Handwerker sehn Tohuwabohu der Einfälle Sie haben mir ja, sagte ich mir, bis zu einem gewissen Grad auch die Kontrolle über meine Einfälle genommen / Gedankenflucht / Handwerkerlärm Sägen und Hämmern unterbricht das Hornsolo das Mozart an dieser Stelle für angebracht hält Schlecht isolierte Wände, dachte ich, erinnere ich mich Man sollte die Handwerker nicht bis in den Operationssaal hören Knochensäge fällt mir ein eine Erleuchtung Jetzt sägen sie meinen Knochen durch SIE KOMMEN GUT VORAN WAS SPÜREN SIE Nichts AUSGEZEICHNET Mein Arm zittert so merkwürdig DAS IST NORMAL SIE SIND AUFGEREGT Aufgeregt Das glaube ich nicht Wie kann nur ein Arm aufgeregt sein Kann sein auch meine Beine mein Geschlecht meine Füße möchten sich aufregen Kann sein auch sie möchten zittern Wo bleibt das Zittern meiner Beine meines Geschlechts meiner Füße In den Stein gebannt BEI DIESER ART NARKOSE WIRD IHNEN NACHHER NICHT ÜBEL WERDEN

Jetzt sägen sie wieder Die Musik schwindet Ein Horn? Ein Cello? Oder ertaubt jetzt auch mein Ohr Lauter bitte Machen Sie die Musik lauter HÖREN SIE SIE JETZT Ich höre ja ich höre Der bleiche Knochen den wir beim Steinesuchen am Strand finden / Steinesuchen an verschiedenen Stränden / ... *daß das weiche Wasser in Bewegung mit der Zeit den harten Stein besiegt* Steinzeit nicht Menschenzeit Das Insekt im Bernstein Das versteinerte Seepferdchen Die kleine Seejungfrau Ihr versteinerter Fischschwanz Der schneidende Schmerz wenn sie auf Menschenfüßen an Land geht um der Liebe willen Wenn sie sich um der Liebe willen gezwungen sieht ihr Element zu verlassen Auf Menschenfüßen laufen welch ein Schmerz Das lernt sich das lernt sich alles Auf Frauenfüßen gehen *Meine Füße gingen lieber aus der Zeit* Medea die um der Liebe willen / um der Liebe willen? / dem Jason den Stein in die Hand gibt den er unter die Krieger werfen muß die aus der Drachensaat auf-

gestanden sind damit sie sich untereinander töten und er
Jason den Drachen / die Drachin besiegen kann Ah Medea
Wer unter euch ohne Schuld ist der werfe den ersten Stein
Oder probiere wenigstens aus wie er sich anfühlt Wie er in
der Hand liegt Wie er sich schleudern würde / Konjunktiv /
Aus Urzeiten überlieferte Lust So viele Steine an die das
Kind nicht denken durfte Schon gar nicht vorm Einschla-
fen Schon gar nicht an die gesteinigten Frauen die das Ge-
setz gebrochen hatten Das Gesetz der Steiniger / männlich /
Wodurch gebrochen Oder Worte anstelle der Steine Worte
wie Steine SIE SPÜREN DOCH NICHTS Nein nichts
Oder wer im Glashaus sitzt und mit Steinen wirft Immer
wieder mit Steinen werfen sich immer wieder ins Glashaus
setzen muß Solche Verrücktigkeiten eben Stimme des
Großvaters Jetzt bohren sie das unterliegt keinem Zweifel
ES HANDELT SICH DARUM DEM KÜNSTLICHEN
GELENKSCHAFT EINE VERANKERUNG IN IHREM
VERBLIEBENEN OBERSCHENKELKNOCHEN ZU
SCHAFFEN VERSTEHEN SIE Selbstverständlich Es
handelt sich zum Glück um die selbstverständlichste Sache
von der Welt Die Frage wo mein eigener Knochen mein ei-
genes Gelenk verbleiben entsteht für Bruchteile von Sekun-
den in meinem Kopf ES GIBT NATÜRLICH AUCH IN
UNSEREM HAUS EINE KNOCHENBANK AUF DER
NOCH BRAUCHBARE KNOCHENTEILE BEI EINER
TEMPERATUR VON MINUS SIEBZIG GRAD FÜNF
JAHRE LANG AUFBEWAHRT UND WENN NÖTIG
VERWENDET WERDEN KÖNNEN verwendet verwun-
det verwundert Es ist an alles gedacht Es könnte alles nicht
besser bedacht sein Fünf Jahre fünf Monate fünf Wochen
fünf Tage fünf Stunden fünf Minuten fünf Sekunden im
Stein

Der Felsen an dem ein Vogel alle hundert Jahre seinen Schnabel wetzt und wenn der Felsen abgetragen ist ist eine einzige Sekunde der Ewigkeit vorbei *O Ewigkeit du Donnerwort* Am gleichen Felsen ist ja Prometheus angekettet und muß sich von dem Adler die unglücklicherweise nachwachsende Leber zerfleischen lassen *Ich kenne nichts Ärmeres unter der Sonne als euch Götter* / Seminarstoff Einübung ins gehobene Reden / Von künstlichen Lebern hat man noch nichts gehört Oder Andromeda vom eigenen Vater an den Felsen gekettet dem Ungeheuer zum Fraß Gerettet übrigens von jenem Perseus der mit dem frisch abgeschlagenen Medusenhaupt seine Gegner, unter ihnen Andromedas Onkel versteint, fällt mir ein Die Wahrheit der Texte unter den Schichten von Verkennung Täuschung Irreführung Es mühsam lernen die richtigen einschneidenden Fragen zu stellen Nicht zu vergessen jener Sisyphos So viele Steine an die das Kind nicht denken darf schon gar nicht vor dem Einschlafen, sage ich dir

Jetzt hämmern sie aber Das neue künstliche Gelenk / Titanlegierung / muß ja festgeklopft werden SIE SPÜREN DOCH NOCH IMMER NICHTS Nein nichts AUSGEZEICHNET Für Lob immer empfänglich Aber wenn sie nichts sagen will dann sagt sie nichts da beißt du auf Granit Die Mutter Sie hat doch diesen Gerechtigkeitsfimmel Aber der Stein lag doch wirklich auf dem Strich Erbarm dich Und weil ein alberner Hopsestein nach deiner Meinung auf dem Grenzstrich lag verkrachst du dich mit deiner besten Freundin Aber der Stein lag doch wahr und wahrhaftig nicht im Feld und wenn der Stein auf dem Strich liegt ist der Nächste dran Und da kannst du nicht mal ein Auge zudrücken Aber wenn der Stein doch auf dem Strich lag Granit das sag ich ja Stein des Anstoßes

Stein Schere Papier Feuer Stein schleift Schere Schere schneidet Papier Papier wickelt Stein ein Feuer verbrennt Papier Stein schlägt Feuer Da füllte Rotkäppchen dem Wolf den Bauch mit lauter Wackersteinen und stieß ihn daß er kopfüber in den Brunnen fiel *Der Wolf ist tot der Wolf ist tot Mariechen saß auf einem Stein einem Stein einem Stein und kämmte sich ihr goldnes Haar goldnes Haar* Ah einmal Mariechen sein dürfen Ah goldenes Haar haben Stein im Schuh Aber du wirst doch nicht wegen einem winzigen Stein im Schuh zurückbleiben und uns alle aufhalten wollen *Viel Steine gabs und wenig Brot*

JETZT MUSS ICH SIE MAL AN DEN SCHULTERN FESTHALTEN DIE HERREN MÜSSEN AN IHREN BEINEN ZIEHEN Die Hammelbeine langziehn WAS HABEN SIE GESAGT ODER HABEN SIE GELACHT Habe ich gelacht JETZT DAUERT ES NICHT MEHR LANGE JETZT MACHEN SIE SCHON ZU Nadelarbeit oder was *Langes Fädchen faules Mädchen*

Der Stein fällt desto schneller um so tiefer

Am Grunde der Moldau da wandern die Steine Mit Steinen in der Tasche zum Grunde gehen Das Große bleibt groß und klein bleibt das Kleine Ja Mozart schmettern Sie nur dagegen an Oder, ich weiß nicht, habe ich dir das je erzählt, Jahr für Jahr im Träumen und im Wachen auf nacktem kalten Steinboden vor den Richtertischen liegen und die Aussage verweigern Ein ums andere Mal Schweigen schweigen schweigen wie ein Stein Dieses Jahr friert es aber wieder Stein und Bein *und die Vögel fielen wie Steine vom Himmel* Ein Asteroid der auf der Erde einschlug hat das Massensterben der Dinosaurier verursacht, wo habe ich das gelesen Andromeda und ihre schöne Mutter Kasseiopeia stehen als leuchtende Sterne/Steine am nächtlichen

Himmel Zwei kleine Steine hat Anton mir mit ins Krankenhaus gegeben die ich immer in der Hand halten sollte Es
sind Beschützersteine weißt du Man hat sie mir aus der
Hand genommen Helene schrieb mir einen Spruch auf
Marmor Stein und Eisen bricht aber unsere Liebe nicht
Wenn sie aber wüßten wo die Liebe ihren Sitz hat würden
sie sie herausoperieren und einfrieren Feinfrostliebe Aber
sie wissen es nicht und das Fleisch in dem die Liebe gleich-
mäßig verteilt ist, ja das glaub ich, erzählt ihnen nichts
auch wenn sie es gründlich beschaut haben Wer aber das
Liebessubstrat herausfilterte / herausfolterte würde stein-
reich / Konjunktiv /

Jetzt taucht aber reichlich spät jener Stein vor mir auf /
Findling mit seltener mineralischer Einlagerung / den sie
uns vom See herauf vor das Haus geschleppt haben *Ich
habe ein Foto von Ihrem Stein ins Heimatmuseum gegeben*
Steintisch Familientisch unter der kleinen Linde Sie haben
ihn so geschickt vom Laster heruntergelassen daß die glatte
Seite oben zu liegen kam und das Kaffeegeschirr Stand hat
Früh wenn die Sonne auf den Stein scheint Heimatstein
*Die Steine selbst so schwer sie sind die tanzen mit den
muntern Reihn* Der Steintanz jedoch / zwölf schmale hoch-
gerichtete Steine im Kreis / steht da still im Dunkel des Wal-
des und rührt sich nicht von der Stelle hundert und hundert
Jahre lang Und wird da stehen wenn ich unter einem Stein
liegen werde und das Fleisch das sie jetzt so sorgfältig zu-
sammennähen vermodert sein wird Woran zu denken ich
mich jetzt etwas schneller gewöhnen sollte / Konjunktiv /
sage ich mir *Die Nacht hat zwölf Stunden dann kommt
schon der Tag* Ja Herr Mozart kommen auch Sie nun zum
Schluß triumphaler als unsereins Das versteht sich / Die
Leichen der Leute von Pompeji in der Lava Die Steine auf

dem Grab des Rabbi Löw Den Stein der Weisen suchen Soll
das denn gar nicht aufhören / Vergänglichkeit du Donner-
wort HÖREN SIE WORÜBER DIE HERREN JETZT
REDEN ÜBER DAS LAVAGESTEIN IN DER EIFEL
DIE TÜCHER KÖNNEN WIR JETZT ABER WEG-
NEHMEN SIE HABEN ES GESCHAFFT

Drei Marsmenschen verlassen den Raum Einer dreht
sich um und hebt grüßend die Hand ehe er schwerfällig
weggeht Der steinerne Gast ist zum Mahl erschienen und
straft den Höhnenden den Lästerer den Sünder Abseitiger
Gedanke, sagte ich mir, da geht er hin und ich kann nicht
zurückgrüßen das wäre frivol ABER JETZT SCHNAL-
LEN WIR SIE AB SIE SPÜREN NOCH IMMER
NICHTS DAS IST NORMAL WENN DANN DIE
SCHMERZEN ANFANGEN SAGEN SIE BESCHEID
Leben bedeutet Schmerz Aber das weiß ich doch schon
lange, dachte ich, erinnere ich mich SIE SIND MÜDE SIE
WERDEN JETZT SCHLAFEN Ja Ich werde schlafen Soll
ich damit aufhören Mit erwachen anfangen und mit schla-
fen aufhören und so den Kreis schließen, frage ich dich

Einen Verlust benennen

Die Nachricht von Heiner Müllers Tod traf mich heftiger, als ich es erwartet hätte. Die Wirkung hält an. Merkwürdig, vor wenigen Tagen hörte ich seine Stimme vom Band. Er las »Mommsens Block«; er hatte den Text den Noch-Mitgliedern der Akademie der Künste der DDR, deren Präsident er zuletzt war, am 30. April 1993 zugeschickt: »Zur Erinnerung an eine Akademie«. Er liest fast eintönig, wie er immer las, unbewegt. Es ist einer seiner persönlichsten Texte, der sein Spiel treibt in Identifikation mit dem »großen Geschichtsschreiber« der römischen Epoche, der »nicht mehr die Leidenschaft« in sich erwecken konnte, den vierten Band seiner Römischen Geschichte zu schreiben. »Warum zerbricht ein Weltreich«, fragt der zeitgenössische Autor mit der Stimme des toten Historikers. »Die Trümmer antworten nicht.« Der Text verrät die Sehnsucht des oft verdeckt Schreibenden, sich zu erkennen zu geben: »Gestatten Sie, daß ich von mir rede.« Da gibt er ein Gespräch zweier »Helden der Neuzeit« am Nebentisch in einem »Nobelrestaurant« wieder: »Tierlaute. Wer wollte das aufschreiben Mit Leidenschaft Haß lohnt nicht Verachtung läuft leer.«

»Zynisch« hörte und höre ich ihn nennen. Er war ein verletzbarer Mensch, versuchte sich zu schützen hinter Masken. Der Widerspruch der Zeit war nicht nur, wie er es manchmal darstellte, sein Arbeitsmaterial; er war Grundlage und Stachel seines Lebens. Die Schlacht, die er nach

97

außen verlegte, in monströsen Vorgängen auf die Bühne brachte, sie hat auch in seinem Körper getobt, der gab schließlich nach. Zu früh, denke ich, erinnere mich der Augenblicke von Nähe, der Zeiten von Entfernung zwischen uns, grundsätzlicher Verschiedenheit geschuldet, werde gewahr, daß sein Dasein mir über Jahre etwas wie eine Seitendeckung gab, die nötig war. Den Verlust benennen, hieße die Berührungspunkte und die Unterschiede finden, hieße Geschichten erzählen, Überlegungen preisgeben, auch eigene Verletzungen beschreiben. Später vielleicht. Jetzt, da ich zum erstenmal das Datum eines neuen Jahres schreibe, das er nicht erleben wird, versuche ich mir zu sagen, er habe das Seine getan, es bleibe kein unaufgearbeiteter Rest. Dann lese ich in »Mommsens Block«: »Der ungeschriebene Text ist eine Wunde / Aus der das Blut geht das kein Nachruhm stillt.«

Gang durch Martin Hoffmanns Räume

Die Person, die auf Martin Hoffmanns Grafiken und Aquarellen fehlt, bin ich – das scheint mir eine Antwort auf die Frage zu sein, warum Hoffmanns Arbeiten mich von Anfang an fasziniert haben. Und wenn ich nur, wie bei den ersten »Sepias«, die ich sah, diejenige war, die von der gegenüberliegenden Häuserreihe, aus einem der gleichartigen Fenster, auf jene heraufstürzende Häuserfront in Plattenbauweise blickte (es mußte nicht unbedingt der gleiche Standort sein, den der Maler eingenommen hatte), übrigens mit einem leichten Schock, der nicht nur Wiedererkennen, auch Neu-Sehen bedeutete, weil ja seine so überaus präzisen Zeichnungen gerade nicht naturgetreue Abbildungen sind. Herauszufinden, inwiefern sie das nicht sind, reizt mich jedesmal wieder. Manchmal ist es eine beiläufige Verschiebung der Perspektive, ein »zufälliges« Verrutschen der rechten Winkel, irgend etwas Verkehrtes, oft auf den ersten Blick kaum wahrnehmbar, das die scheinbare Sachlichkeit der Abbildung aufhebt und mit leicht boshafter Ironie die Absurdität der Erscheinung vorführt. So daß ich öfter, wenn ich eine seiner Arbeiten zum erstenmal sah, einen kleinen Überraschungslaut ausstieß, einem Lachen ähnlich – wie man unwillkürlich auflacht, wenn etwas sehr Bekanntes plötzlich fremd erscheint.

Entfremdet, nämlich. Zum Beispiel die Bauten, zwischen denen wir uns bewegen. Die Plattenbausiedlung. Die Mauer. Die Autoschlange. Häuserfronten. Tunnelkonstruktionen.

Peitschenlampenanlagen. U-Bahnschächte. Strenge Stadt-
ansichten, zur Kenntlichkeit gebracht durch ernüchternde
Überexaktheit, von Menschen entleert oder befreit, die
aber gegenwärtig sind als Entwerfer und Erbauer dieser
entfremdeten Umwelt, die sie nun auszustoßen scheint.
Interpretationen einer Betrachterin, die sich mit den Intentionen des Grafikers, des Aquarellisten nicht decken
müssen – schon deshalb nicht, weil seine »Intentionen« hier
eben nicht in Wörtern, in Sätzen ausgedrückt sind; auch
wenn ich mich berufen kann auf Aussagen von Martin
Hoffmann wie diese: »Kunst muß darauf bestehen, daß
jede Entwicklung dahin gerichtet ist, der Würde des einzelnen Raum zu schaffen.« Der prüfende, unvoreinge-
nommene Blick wertet aus einer Haltung heraus, die nicht
angelernt, nicht aufgesetzt, sondern diesem Zeichner einge-
fleischt ist, so daß das Adjektiv »kritisch« für seine Arbeiten auch gilt, aber zu kurz greift. »Es ist, wie es ist«, befindet er, das könnte befremden, käme da nicht der Nachsatz:
»Solches Akzeptieren heißt allerdings nicht für gut hinneh-
men, sondern fragen, wie wir damit umgehen.« – Ich erinnere mich noch an mein Staunen, als mir zum erstenmal
jenes Leporello aufgeblättert wurde, das abwechselnd, aber
nahtlos aneinander anschließend, alte und brandneue Berliner Hausaufgänge zeigt, so daß in mir die Geschichte von
Generationen in dieser Stadt aufblitzte, Lebensgeschichten
im Zeitraffer vorbeizogen, Gestalten aus der Zeittiefe auf-
tauchten. Solche Assoziationen zu wecken, das wäre wohl
ein Wunsch dieses Künstlers, befragte man ihn nach der
möglichen Wirkung seiner Blätter.
   Aquarell, Zeichnung, Collage, Plakat – Martin Hoffmann hat Formen entwickelt, mit denen er seine Bildge-
genstände auf souveräne Weise erfaßt. Martin Hoffmann

könnte vielleicht nicht erklären, aus welchem ununter-
drückbaren Antrieb heraus er diese komplizierte, arbeits-
und zeitaufwendige Machweise für seine großen Sepias
entwickelt hat, die man eigentlich aus Verlegenheit »Aqua-
relle« nennt, weil eben Wasser eine so große Rolle bei ihrer
Herstellung spielt – Wasser, das die Blätter und die schon
aufgetragene Sepiafarbe wieder und wieder durchnäßt, bis
sie, nach vielmaligem Trocknen, vielmaligem Wiederauf-
tragen der Farbe – nach einem Prozeß, der das Material
aufs äußerste anstrengt – die Intensität ausstrahlen, die
mich gefangennahm, als ich die Art und Weise, wie sie verfertigt wurden, noch nicht kannte.

Seine Innenräume wiederum üben einen Sog auf mich
aus, vielleicht, weil manche von ihnen Traumbildern äh-
neln, mit ihrer Vortäuschung der wirklichsten Wirklichkeit,
die sich wie beiläufig zum Alptraum steigert, wie in jenem
fast fotografisch abgebildeten, Computer heckenden super-
modernen Büroraum, den wir auf einmal sehen, wie er ist:
monströs, und der uns in all seiner alltäglichen Harmlosig-
keit gefaßt darauf macht, daß er Ungeheures, daß er Ungeheuer ausbrütet. Oder woher kenne ich diese labyrinthi-
schen, schiefwinkligen Gänge, wenn nicht aus Träumen, wo
sonst habe ich mich an diesen Wänden entlanggetastet bis
zu den Ecken, mich an eines dieser immer wiederkehrenden
Fenster gestellt, darauf gefaßt und doch erschrocken, wenn
nicht nur die gegenüberliegende Straßenseite sich in ihm
spiegelt, sondern wenn durch eine allen physikalischen Gesetzen Hohn sprechende Brechung der Lichtstrahlen plötzlich ein Landschaftsstück im Fensterspiegel erscheint oder
wenn – wie in dem »Akten und Aussicht« benannten Blatt
– aus dem nüchternen Lesesaal heraus, auf dessen Tischen
die Akten der Staatssicherheit zur Einsicht bereitliegen, der

überrumpelte Blick auf eine Reklamewelt fällt, die, wie jeder weiß, »in Wirklichkeit« nicht zum unmittelbaren Umfeld dieser Behörde gehört. Nicht nur voneinander entfernte Orte, auch auseinanderliegende Zeiten sind hier in dem Rechteck des Bildes zusammengerückt, das in seinem Lakonismus eine Auseinandersetzung provoziert mit Urteil und Vorurteil, mit Selbsterfahrenem und ungern Wahrgenommenem.

Manche der Büros und Behördengänge, die Hoffmann mit einer Haßliebe minutiös abbildet, hat er in Farben angelegt, die ich »giftig« nennen würde – den Gang, in dem Gestalten, die sich in den Türen spiegeln, auf den »Aufruf« zu warten haben: einzutreten und endlich den Paß für die Ausreise in Empfang zu nehmen. Jenes Plakat dagegen: »Betrifft: Ständige Ausreise«, ganz in Schwarz-Weiß und Grautönen, spart die ausreisewillige Person als weißen Fleck aus dem Hintergrund aus: Sprache der Trauer ohne Worte. Und, für mich immer wieder überraschend, schon 1983, zur Zeit der atomaren Aufrüstung in beiden Teilen Deutschlands, der runde Tisch, um den die Stühle so gruppiert sind, daß sich mir der Eindruck aufdrängte, die Gesprächspartner haben ihn verlassen; sie können und wollen nicht mehr miteinander reden. Und dieses selbe Bild wird im Oktober 89 zu einem Plakatangebot für das Neue Forum: Jetzt, in der neuen gesellschaftlichen Situation, konnte auch ich in der Anordnung der Stühle ein Vorzeichen für einen möglichen Aufbruch sehen, der mit einem Dialog bisher voneinander abgewandter Partner beginnen müßte.

Martin Hoffmanns Plakatreihe stellt – auf andere Weise, als es seine übrigen Arbeiten tun – eine »Chronik der laufenden Ereignisse« dar und dokumentiert sein waches politisches und soziales Gewissen. Hier arbeitet er vehement polemisch und sarkastisch gegen den Spießergrundsatz an: »Es ist, wie es ist.« Durch die verschiedensten Stilmittel – zum Beispiel: die Reihung Dutzender von Auspuffrohren, die Abgase ausstoßen – verdichtet er Foto-Realismus zu aussagekräftiger künstlerischer Realität. Hoffmann würde sich nicht – wie manche Künstler es heutzutage tun – gegen die Bezeichnung »Aufklärer« verwahren; er scheut sich nicht, für seine Plakate auch das Wort zu gebrauchen, die schlagkräftige Zeile: »Was für ein Frieden wird sein?« Oder, vor der Wahl in der Noch-DDR im Frühjahr 1990, ein reines Schriftplakat: »Wollt ihr die totale Kopie?«

Seine Beziehung zur Sprache, zur Literatur macht Martin Hoffmann nach meiner Erfahrung zum guten Partner für Autoren, wenn es zum Beispiel um Buchgestaltung, um den Entwurf für einen Buchumschlag geht. Es macht Spaß, mit ihm am Computer zu sitzen und seine Vorschläge zu diskutieren, zuzusehen, wie er auf Wünsche eingeht, wie er Entwürfe nebeneinanderstellt, Farbwerte verändert; wie er zum Beispiel, bei dem Umschlag für »Störfall«, eine idyllische Landschaft in eine bedrohte Landschaft verwandelt, indem er ein Raster über sie legt, das die Assoziation von giftigem »fall out« hervorruft. Martin Hoffmanns jüngst entstandene Medea-Figur – eine aus gerissenen Papierfetzen zusammengesetzte Collage – erzeugte in mir ein freudiges Gefühl von Erkennen, ich finde dieses Blatt einen künstlerischen Glücksfall.

Nicht nur die sogenannte unmittelbare Wirklichkeit, auch manche ihrer Abbildungen benutzt er als Material, indem er seinen Zusammenhang zerstört, zerschneidet, zerschnippelt, um durch erneutes Zusammensetzen verborgenen oder absichtlich verdeckten Strukturen auf die Spur zu kommen. So entstehen seine Collagen: aus Zeitungs- und Illustriertenfotos, aus Werbeanzeigen, aus Schriftproben, die er in eine neue Ordnung stellt, sie so verfremdet und unsere durch Gewohnheit abgestumpften Augen lehrt, sie wieder zu bemerken: ihre Unsinnigkeit, ihren Aberwitz, ihre Gefährlichkeit wahrzunehmen. Oder ihre Schönheit. In meinem Arbeitszimmer hängen seit Jahren zwei Blätter, auf denen aus Buntpapier gerissene Farbflecke aneinandergesetzt sind, die ich nicht müde werde anzusehen und die ihre befriedende und aufhellende Wirkung auf mich nicht verfehlen.

Wie soll man beschreiben, woran man Martin Hoffmann sofort erkennt. Auffallend heben sich ja seine Arbeiten von den Mal- und Zeichenweisen seiner Generationsgenossen ab. Technische Merkmale sind aufzählbar, doch sie sind – daran erkennt man ja den authentischen Künstler – eben nur Mittel, nicht eines Zweckes, sondern eines Menschen, der sich in der gleichen Geste deutlich macht und zurücknimmt; der genau hinsieht und der nicht nur seinem Material, sondern auch dem, dem er es unterbreitet, gerecht werden will, bescheiden und standfest zugleich; dessen Phantasie sich an unscheinbaren Details entzünden kann und dessen Eingriffe in die Realität behutsam anmuten, einem Respekt geschuldet gegenüber allem, was da ist. Er stelle Fragen an die Realität, sagte er einmal. Er wolle dazu anstiften, sich mit diesen Fragen auseinanderzusetzen.

Der Worte Wunden bluten heute nur nach innen

Stephan Hermlin ist tot. Ich weiß es seit einer Stunde, bis jetzt kann ich nur fühlen, wie dieser Verlust mich trifft. Ich sehe ihn vor mir in vielen Situationen, in denen ich ihm über die Jahrzehnte hin begegnet bin – Jahrzehnte, in denen aus der Bekanntschaft, aus der Bewunderung der Jüngeren für seine Arbeiten, aus dem Respekt vor einem schwierigen, oft schweren Leben allmählich eine Freundschaft wurde, das hoffe ich sagen zu können. Uns verbanden die Liebe zur Literatur und die wachsende Sorge um das Land, das sich immer weiter von den sozialistischen Grundsätzen entfernte, denen er sich seit seiner Jugend verpflichtet fühlte. Die Stunden, in denen wir zusammensaßen und darüber sprachen, kann ich nicht zählen.

Hermlin hat im Freundeskreis leidenschaftlich erzählt. Seine Geschichten, seine Sicht auf Menschen, auf die Welt, auf die Geschichte haben ihren Anteil an meiner eigenen Weltsicht, vieles, was wir gemeinsam erlebt haben, ist mir unvergeßlich. Er gehörte zu der Generation von Sozialisten, die uns Jüngeren einen Blick zurück ermöglichten, den kein Geschichtsbuch geben kann. Er war ein verläßlicher und loyaler Mensch, ein treuer Freund, er konnte verständnisvoll und langmütig sein, aber auch ungeduldig und schneidend in seinem Urteil. Verrat vertrug er nicht und verzieh er nicht, in diesem Jahrhundert und bei der Parteinahme, zu der er sich entschlossen hatte, konnte es nicht ausbleiben, daß er oft mit Verrat konfrontiert wurde. Er

war stolz, daß er in der düstersten Zeit der deutschen Geschichte als sehr junger Mensch auf der richtigen Seite
stand.

Und er hat, in der Zeit, in der ich ihn kannte, sich immer
wieder für das zu entscheiden gehabt, was er für »richtig«
hielt. Oft bewies er »Tapferkeit vor dem Freund« – manchmal die schwierigere Form der Tapferkeit. Ich habe ihn
als furchtlosen Menschen erlebt. Autoritäten fürchtete er
nicht, wirkliche Autorität respektierte er rückhaltlos. Er
scheute sich nie, seine Meinung öffentlich zu sagen. Ich
habe erlebt, wie er angegriffen wurde, von den »eigenen«
Leuten. Er wich nicht zurück, er stützte andere, die in die
gleiche Lage kamen. Er konnte sich in Menschen irren.
Manche, denen er geholfen hat, haben das später vergessen und sich gegen ihn gewendet. Es gab und gibt viele
Gelegenheiten, dem Zeitgeist Tribut zu zollen. Das Wort
»schnöde« gehörte zu Hermlins Wortschatz. Es tut mir
weh, daß das letzte, was er von großen Teilen der deutschen
Öffentlichkeit erfuhr, der Versuch einer Demontage war. Er
erfuhr aber auch, wie viele Menschen, auch Kollegen, zu
ihm standen. Ich kann nur hoffen, daß diese Genugtuung
ihm mehr zu Herzen ging als die Kränkung. Glauben kann
ich es nicht.

Stephan Hermlin hat ein intensives reiches Leben gelebt,
mit Gefährten, die ihm wichtig waren, mit Bindungen, die er
selbst gewählt hatte, mit scharfen Konflikten, schwierigen
Bewährungsproben, großen Bestätigungen. Ein Mensch, in
den dieses Jahrhundert sich eingeschrieben hat, der sich in
dieses Jahrhundert eingeschrieben hat. Kaum jemand hat
die Kunst und die Künstler so selbstlos geliebt wie er. Wenn
die Zeiten zu bitter wurden, fand er Trost in der Dichtung
und in der Musik. Wie auch ich einmal, in bitterer Zeit,

Trost und Stärkung fand in einigen seiner Gedichte. Von einem möchte ich die erste Strophe zitieren, sie ist gültig geblieben:

Die Zeit der Wunder ist vorbei. Hinter den Ecken
Versanken Bogenlampensonnen. Ungenau
Gehen die Uhren, die mit ihrem Schlag uns schrecken.
Und in der Dämmerung sind die Katzen wieder grau.
Die Abendstunde schlägt für Händler und für Helden.
Wie dieser Vers stockt das Herz, und es erstickt der Schrei.
Die Mauerzeichen und die Vogelzüge melden:
Die Jugend ging. Die Zeit der Wunder ist vorbei.

Gegen die Kälte der Herzen
Charlotte Wolff – »internationale Jüdin
mit britischem Paß«

Anfang des Jahres 1983 bekam ich, durch welche Empfehlung, weiß ich nicht mehr, die Autobiographie einer Frau in die Hand, die mir bis dahin unbekannt gewesen war: Charlotte Wolff. Das Buch, in einer Reihe des S. Fischer Verlags erschienen, heißt: Augenblicke verändern uns mehr als die Zeit. Während ich noch darüber nachdachte, ob ich der Behauptung, die der Titel aufstellt, zustimmen könnte, war ich schon von der Person gefangen, die dieses Buch geschrieben hatte: Eine deutsche Jüdin, Anfang des Jahrhunderts in einer kleinen Stadt in Westpreußen geboren, die Medizin und Philosophie studierte und in den zwanziger Jahren in Berlin lebte und als Ärztin arbeitete; die glücklicherweise rechtzeitig, nämlich schon im Mai 1933, das nationalsozialistische Deutschland verließ und danach in Paris und London lebte, wo sie 1986 starb. Dieses Skelett ihres Lebenslaufes will ich später etwas anzureichern versuchen, zuerst aber möchte ich davon sprechen, wie ich mit Charlotte Wolff in Kontakt gekommen bin – ein Kontakt, aus dem sich eine wenn auch nie durch persönliche Bekanntschaft erprobte Freundschaft entwickeln sollte. Zu meiner großen Überraschung, fast Bestürzung, stieß ich gegen Ende ihrer Autobiographie auf meinen Namen. Sie hatte sich, aus Interesse für die Dichterin Karoline von Günderrode, eines meiner Bücher besorgt, in dem eine fiktive Begegnung zwischen Günderrode und Kleist beschrieben wird, und eine

Zeile gefunden, in der sie große Ähnlichkeit mit einer Zeile aus einem der Gedichte erkannte, die sie als junge Frau geschrieben hat. Ihre Zeile lautet: »Durch die Sohlen seiner Füße brennt das Herzensblut der Erde«, die meine: »Und fühlte den Herzschlag der Erde unter seinen Fußsohlen.« Sie sah es als »ein Wunder, daß ein solch ähnlicher poetischer Ausdruck von zwei Geistern geschaffen werden konnte«.

Ich hatte das Gefühl, daß ich ihr schreiben und mich zu erkennen geben müsse. Sie antwortete gleich und mit großem Enthusiasmus, und so entwickelte sich über die dreieinhalb Jahre, die sie noch am Leben war, ein ziemlich dichter Briefwechsel, ein Austausch von Büchern und Gedanken, bald gingen wir vom Sie zum Du über und machten Pläne, uns zu treffen, die leider – einmal, weil ich einen Termin nicht einhalten konnte, dann wieder, weil sie nicht gesund war – nie ausgeführt wurden. Als wieder eine Begegnung nicht zustande gekommen war, schrieb sie mir einen Satz, den ihr eine Freundin ins Ohr geflüstert hatte: It is later than you think. Ich verstand, was sie meinte, aber ich nahm nicht wahr, wie ernst ihre Erkrankung in Wirklichkeit war, die sie immer als »Erschöpfung« bezeichnete – mich und vielleicht auch ein wenig sich selbst betrügend.

Und erschöpft war sie und mußte sie sein, nachdem sie, eine Frau in den Achtzigern, in unaufhörlicher sechsjähriger Anstrengung ohne Erholungspause ein umfangreiches Buch über den Sexualforscher Magnus Hirschfeld geschrieben hatte, in dem auch eine versteckte Selbstaussage steht: »Das Alter hat keine Macht über einen starken Geist.« Der Satz steht in Englisch da, denn dieses große Porträt von Magnus Hirschfeld ist noch nicht ins Deutsche übersetzt. Sie hätte Hirschfeld im Berlin der zwanziger Jahre begegnen können, schreibt Charlotte Wolff in ihrer Einleitung; 1928 arbeitete auch sie in Berlin, an der Klinik für Familienplanung der Allgemeinen Krankenkasse, und die Bestrebungen, die ihre Arbeit leiteten, waren denen von Magnus Hirschfeld sehr ähnlich: die Emanzipation der Frauen und Männer von jeder Art sexueller Unterdrückung durch die Gesellschaft, damit die Beendigung der Diffamierung von homosexuellen, bisexuellen, bösartig als »abartig« denunzierten Menschen. Die Forschung auf diesem Gebiet war für Charlotte Wolff die Arbeit ihrer letzten Lebensphase, dokumentiert in Büchern wie »Love between Women«, 1971 in England und 1973 in Deutschland unter dem Titel »Psychologie der lesbischen Liebe« erschienen, und ihre Grundlagenstudie über Bisexualität, die in Deutsch 1980 herauskam. Ich nenne diese Titel, um einen Anreiz zu geben, die Bücher zu lesen, weil mir scheint, daß im Zusammenhang mit der restaurativen Phase, in die die Gesellschaft gerade hineingetrieben wird, wie üblich auch Erkenntnisse über Sexualität und die Folgerungen, die wir daraus ziehen müßten, wieder zurückgedrängt werden – nicht zuletzt die Einsicht, wie eng sexuelle und sozial-politische Unterdrückung miteinander verknüpft sind.

Charlotte Wolff, die kein vordergründig politischer Mensch war, hat, fast möchte ich sagen, »von Natur« aus immer an jenen noch ungesicherten Plätzen der Wissenschaft gearbeitet, wo Pioniergeist erforderlich ist und wo wirklich Neues zutage gefördert wird. Dabei war es ihr nicht an der Wiege gesungen worden, daß sie Wissenschaftlerin – *auch* Wissenschaftlerin – werden würde. Wenn man die anschauliche, farbige und genaue Schilderung ihrer Kindheit liest, die Porträts ihrer Eltern und anderer Verwandten, die Städtebilder von Riesenburg, wo sie geboren wurde, und Danzig, wo sie als Jugendliche zur Schule ging, in sich aufnimmt und nicht zuletzt den Reflexionen über sich und ihre Entwicklung folgt, meint man, eine kreative Schriftstellerin vor sich zu haben. Und wirklich war ja diese Kindheit und Jugend erfüllt von starken emotionalen Erlebnissen, von ersten leidenschaftlichen Liebeserfahrungen mit Frauen, nicht zuletzt von der Erschütterung durch die Geburt eines »inneren Auges«, während der eine »unbekannte und mächtige Kraft« von ihr »Besitz ergreift«. »Von diesem Augenblick an«, schreibt sie, »wußte ich um das Universum, das ich erblickte und in mir hielt.« Die »Tore erhöhten Empfindungs- und Wahrnehmungsvermögens« hatten sich für sie »von selbst« geöffnet. Natürlich kann sie ihre Sensitivität nicht in dieser Konzentration bewahren, aber nach allem, was ich von ihr weiß, ist Charlotte Wolff ein hochempfindsamer, auch empfindlicher Mensch geblieben. Als junges Mädchen schrieb sie Gedichte, wie unter einem Zwang, sie fühlte sich zu Kunst und Literatur hingezogen, während die prosaische Welt ihres Elternhauses, in dem Geschäftsinteressen im Vordergrund standen, sie abstieß. Aber dieses Elternhaus hat nie versucht, die jüngere Tochter, die sich so offensichtlich nicht in das Muster kleinbürgerlichen Verhaltens fügen konnte, zu beeinflussen oder gar zu zwingen, von ihrem Entwicklungsweg abzugehen. Man habe sie akzeptiert, wie sie war – auch in ihrer sexuellen Orientierung, die sich auf Frauen richtete und die ihr selbst zeitlebens niemals als etwas Besonderes oder gar »Unnatürliches« vorgekommen ist, sondern als eine natürliche Neigung, deretwegen sie weder in ihrer Familie noch in dem Kreis, in dem sie sich später bewegte, ausgegrenzt wurde. »Ich brauchte mich nicht zu verstellen«, schreibt sie, »zu verstecken oder nach Ausflüchten zu suchen.« Diese

Aussagen sind um so bedeutsamer, als Charlotte Wolff mehr und mehr davon überzeugt ist, daß »alle Menschen von Kindheit an manipuliert werden. So führen die Manipulierten die Manipulierten, und niemand weiß, was der Mensch wirklich ist.« »Gehirnwäsche« nennt sie oft, noch krasser, die Manipulation, der in der modernen Gesellschaft jeder Mensch unterzogen werde. Das heißt, ihre Gesellschaftskritik setzt nicht an äußerlichen, z. B. politischen oder sozialen Symptomen an, sondern da, wo die Mechanismen des modernen Lebens den Kern des Menschen angreifen. Oft betont sie ihre Überzeugung, daß wir alle gezwungen seien, unter Masken zu leben, und daß wir nur in seltenen Augenblicken spontaner Berührung mit einem anderen Menschen unser wirkliches Selbst zeigen. Die Sehnsucht nach diesem Selbst, danach, es zu entwickeln und es vertrauten Menschen offenbaren zu können, das war die innere Leitlinie, der Charlotte Wolff folgte; außergewöhnlich genau hat sie sich selbst beobachtet, Abweichungen von dieser Leitlinie, die ihr schwieriges Leben ihr aufzwang und die oft in Krankheit mündeten, registriert und das Glücksgefühl genossen, wenn günstige innere und äußere Umstände für Augenblicke oder für Tage, Wochen ihr inneres Selbst und ihr äußeres Leben miteinander übereinstimmen ließen.

Ich habe vorgegriffen, aber es ist hier nicht meine Absicht und wohl auch nicht meine Aufgabe, einen chronologischen Lebenslauf von Charlotte Wolff zu geben. Doch komme ich noch einmal auf ihre Studienzeit in den zwanziger Jahren zurück. Sie hatte eingesehen, daß es vernünftig wäre, Medizin zu studieren und nicht, wie sie eigentlich wollte, Philosophie, Literatur und Kunst. Allerdings brachte sie es fertig, neben und nach dem Studium in verschiedenen Städten, zuletzt in Berlin, ein zweites Leben in Künstlerkreisen und in Kabaretts, Theatern, Nachtbars zu leben, mit Freundinnen und Freunden. Es sind diese Jahre, die sie stark geformt haben und auf die sie später, als Deutschland für sie ein Un-Ort geworden war, immer wieder zurückkommt. Sie erlebte auch in ihrem Beruf, in der Schwangerschaftsfürsorge der Allgemeinen Krankenkasse in Berlin, in der fortschrittliche Familienplanung praktiziert wurde, ein neues, sie begeisterndes Medizin-Verständnis, sie wurde aktives Mitglied des Vereins Sozialistischer Ärzte, der der USPD nahestand, sie richtete die erste Klinik für Schwangerschaftsverhütung in Deutschland ein und bekam so ihren ersten praktischen Unterricht in Sexualwissenschaft und Psychotherapie. Sie und die jungen Frauen, mit denen sie arbeitete und lebte, waren *frei*, schreibt sie, »wir waren einfach wir selbst, die einzige Befreiung, die am Ende zählt«. Aber: »Die Freiheit des Individuums und die Freiheit für das Individuum gab es in der deutschen Geschichte immer nur für kurze Zeit.«

Jahrelang kam ihr nicht die Spur einer Vorahnung von der Gefahr, die sich für sie als Jüdin und für alle, die im Namen der Aufklärung emanzipatorische Theorien und Praktiken vertraten, unter der oft glänzenden Oberfläche zusammenbraute. Anschaulich hat sie beschrieben, wie stark man sich in ihrer Familie als deutsche Juden fühlte, wie stark sie selbst mit der deutschen Kultur identifiziert war und daß sie niemals auf die Idee gekommen wäre, zwischen den beiden Grundelementen, auf denen ihr Dasein aufbaute: Jüdin und Deutsche zu sein, würde sich je ein unüberbrückbarer Abgrund auftun. Drei Schläge hintereinander machten ihr im März / April 1933 ihre Lage klar: Sie wurde gekündigt, weil sie Jüdin war, und in der U-Bahn wurde sie als »Frau in Männerkleidung und als Spionin«

festgenommen. Ihre eigene Geistesgegenwart und die eines Wachmanns der Bahnhofswache ließen sie entkommen. Nachdem ihre Wohnung nach »Bomben« durchsucht worden war, verließ sie am 26. Mai 1933 Deutschland in Richtung Paris. Viele Jahre lang hat sie die Erinnerung an ihre Zeit in Deutschland, an deutsche Kultur und die deutsche Sprache abgelehnt und gemieden. Wie alle jüdischen deutschen Emigranten hat sie den Schock der Ausgrenzung, Vertreibung, schließlich der Vernichtung der in Deutschland zurückgebliebenen Juden nie verwunden. Ihr deutscher Paß galt noch fünf Jahre, danach hat sie den Paß einer Staatenlosen genommen, schließlich wurde sie britische Staatsbürgerin. Sie hat sich seitdem immer als »internationale Jüdin mit britischem Paß« bezeichnet. Erst in den siebziger Jahren, als Berliner Feministinnen auf sie zugingen, hat sie sich dazu überwunden, nach über vierzig Jahren wieder in das einst von ihr geliebte Berlin zu kommen. Sie fand einen warmen, sie überwältigenden Empfang, und sie kam zweimal wieder, hielt Vorträge und Lesungen und freute sich an den Diskussionen. Ihre Autobiographie endet mit den Sätzen: »Berlin war wieder ein Ort auf meiner emotionalen Landkarte geworden. Es hatte mir ein neues Leben gegeben.« Auch deshalb war ich froh, als ich hörte, daß Ihr Volkshochschulkolleg sich den Namen von Charlotte Wolff geben will, daß also ihr Name in Berlin präsent bleiben, daß man nach ihr und ihrem Leben und Werk weiter fragen wird. Ich bin sicher, dank der Berlinerinnen, die sie hergeholt haben und enge Freundinnen von ihr wurden, könnte sie dieses Angebot annehmen, es würde sie wohl freuen. Sie war so empfänglich für Liebe und Verständnis.

Die Briefe, die sie mir schrieb, zeugen von dieser Suche nach gleichgestimmten Seelen, und wenn sie glaubte, einem

Menschen begegnet zu sein, der ihr nahe war, hielt sie sich nicht zurück, sie kam ihm offen entgegen, sogar begeistert, konnte rückhaltlos loben, mir zum Beispiel ein großes Geschenk machen mit der Bemerkung, daß ich für sie »die deutsche Sprache neu ins Leben gebracht« habe. »Sehen Sie«, schreibt sie, »als ich ins ›Exil‹ (das mir ja großartig bekam) ging, war die deutsche Sprache mir nicht nur verloren – sondern ein Greuel. Die Nazis hatten sie so verunglimpft – beschmutzt – entseelt –, daß ich an eine Resurrektion gar nicht glauben konnte.« Nach einem Satz über meine Sprache schreibt sie dann – ich zitiere das, weil es so kennzeichnend für sie ist – : »Aber ich will nichts weiter sagen, weil ich es aus ›Scheuheit‹ nicht mag. Auch glaube ich, daß Sie (und ich auch) ›siegen‹ wie ›lobpreisen‹ demonstrativ, ungesund, absolut tödlich finden.«

Charlotte Wolff hat sich, zunächst in Frankreich, dann in England ihr Brot durch wissenschaftliche Arbeit verdient – zuerst, indem sie die menschliche Hand studierte und herausfand, welche Zusammenhänge zwischen Größe, Form, Gestalt unserer Hände, den Handlinien auch, und den Charakteren der Menschen, ihren Anlagen, ihren Krankheiten bestehen, und dann ihre Kenntnisse – nicht unbedingt zu ihrem Vergnügen – an wohlhabende Leute weitergab, denen sie »aus der Hand las«. Sie bemühte sich um eine streng wissenschaftliche Vorgehensweise, aber sie konnte auf ihrem Forschungsgebiet ohne Intuition nichts machen: Sie war unglaublich aufnahmebereit für alle Schwingungen zwischen Menschen, die kein Apparat messen kann, und sie war wie ein Medium für Vorahnungen, für die oft wunderbaren Zusammenhänge, die uns »passieren« und die wir meistens nicht wahrnehmen, weil wir zu abgestumpft sind. Sie lebte in einem feinen Geflecht solch wunderbarer Zusammenhänge; was wir »Zufall« nennen, war für sie eine erstaunliche Fügung, die sie nicht gering-schätzen durfte, ihre Briefe gaben mir Beispiele dafür. Etwa wenn sie in der gleichen Zeit, in der wir in nähere Bezie-hung zueinander kamen, eine Freundin der Ingeborg Bach-mann kennenlernte, die ihr wiederum die Bücher der Bach-mann gab, in denen sie nun das Gedicht fand, das sie gerade in meinen »Frankfurter Vorlesungen« gelesen hatte. »O – das ging in den Solarplexus«, schreibt sie. »Ja – diese Zusammentreffen – allherum! Wir wissen nicht, Gott sei Dank, wie – aber es ist ein Trost, daß es so vor sich geht.« Und sie war sich bewußt, bei all ihrer Bescheidenheit, daß sie in einer inneren Verbindung mit solchen Geheimnissen stand. Sie schickte mir ihr Buch über die »menschliche Hand« in der englischen Fassung genau in dem Augen-blick, als das deutsche Exemplar, das ich mir beschafft hatte, in einem Bauernhaus in Mecklenburg mitverbrannte. Auch dies schien ihr eine Fügung zu sein und veranlaßte sie, da ich einen solchen Brand vorher in einem Buch be-schrieben hatte, zu der Bemerkung über meine »Vorah-nung«: »Fürchten wir nicht, wie ancient people, die dau-ernde Drohung, daß uns, was wir haben, von den Göttern weggenommen wird – falls wir sie nicht dauernd ›versöh-nen‹? Und sogar dann können sie uns immer berauben – Aberglaube? Ich glaube an Aberglauben ...« In welchem Sinn, das schreibt sie in ihrer Autobiographie: »Einige Menschen verstehen sich darauf, das Ohr am Boden zu hal-ten und festzustellen, ob sich etwas Gutes oder Schlechtes nähert. Wir nennen sie intuitiv oder vorausschauend. Aber-glaube ist eine Form außersinnlicher Wahrnehmung, und es ist ein Fehler, ihn als Überbleibsel primitiver Religionen zu verspotten. Künstler und Schriftsteller sind prädestinierte Beobachter des Ungewöhnlichen und Unheimlichen, es lohnt sich, ihre ›Visionen‹ und ihren Aberglauben ernstzunehmen. Tatsächlich können sie sich als die besseren Kenner der Geschichte herausstellen als professionelle Historiker.« – Klingt das heute, da wir umstellt sind von angeblichen »Fakten«, nicht wie eine Stimme aus einer anderen Welt?

Der Brief, aus dem ich zitierte, ist vom Februar 1984, offenbar hatte ich ihr vorher über meine Zukunftsängste geschrieben. Sie antwortet, daß sie sich vielleicht durch das Anschwellen der Friedensbewegung in England habe täuschen lassen und durch »die Millionen in Europa, die protestieren« (gegen das Aufstellen der Raketen), und fährt fort: »Da ist aber etwas, was mir schon oft durch den Kopf ging: Es muß gar nicht Krieg sein – daran glaube ich nicht. … Nein, meine apprehension ist absolut in der technology per se. Wenn die Microchips und giftigen Desinfektionsmittel Menschen de-vitalisieren (leblos machen durch falschen Comfort), vergiftet durch Nährstoffe – Boden und Seele wird dann entmenscht. *Das* sind meine Schrecken. Alles was man Zukunft nennt ist wie Roulette. Man muß (man kann ja nicht anders) wagen zu spielen. – Vielleicht werden die Zukünftigen Spielregeln kennenlernen, die die abtötenden Gefahren wiederum töten, und dann doch noch das Lamm mit dem Löwen im Zusammenleben erstreben – beinahe vielleicht dem nahekommen. Ist es Utopie – natürlich –, aber eine Möglichkeit, die man nicht durch Schrecken der Gegenwart und Mißtrauen der lebenden, jetzigen Erwachsenen abtun kann. Die Jugend zeigt mehr Instinkt und absoluten Daseinswillen, glaube ich.«

Und, ich kann es nicht lassen, Ihnen noch etwas vorzulesen, was in dem Brief steht – die Briefe, übrigens, sind in

117

einer ausschweifenden, schwer lesbaren Altersschrift geschrieben und, wie Sie bemerkt haben, mit englischen
Brocken und Satzbildungen durchsetzt – etwas vorlesen
also, was sie mit der Behauptung »Fortschritt ist Fortge-
hen« beginnt: »Es heißt nicht, Menschen, die man liebt
oder zu denen man attachiert ist, verlassen – das hat nur
mit uns selbst zu tun. Eine neue, nicht gesehene Facette in
uns nimmt eine Beleuchtung an, die uns im Fortschritt zu-
fällt, und dann sind wir ›weiter‹, und wenn auch dieses Weiter unmeßbar ist – wir sind von dem, was wir bisher von
uns wußten, fort (weiter) gegangen. Und dazwischen, in
dem Prozeß, erleben wir (ich meine ich, denn ich verallge-
meinere aus meiner subjektiven Erfahrung) eine neue Ein-
samkeit. Die ist auch ein Sprungbrett.«

Danach wird es niemanden mehr verwundern, daß Charlotte Wolff sich eine Wissenschaft ohne Menschenliebe und
ohne Subjektivität nicht vorstellen kann, am wenigsten die
Medizin oder die Psychologie, ihre Arbeitsgebiete. Ich
denke, nicht nur in den Themen, die sie bearbeitete – eben
die Bedeutung der Hand, oder Homosexualität, oder Bisexualität –, auch in der Art und Weise, wie sie sich ihnen
näherte – sensibel, immer eingedenk der Tatsache, daß sie
es mit Menschen zu tun hatte, die ihr vertrauten, ihr die
Hände überließen oder in langen Interviews ihre Lebensgeschichte, einschließlich der Geschichte ihrer sexuellen
Orientierung, erzählten – in all dem zeigt sie sich für mich
als eine Wissenschaftlerin eines modernen Typs, die nicht
darauf aus ist, den Gegenstand ihrer Untersuchung zu zerstückeln, um ihn so leichter klassifizieren zu können. Was
ich meine, mag ihr Satz illustrieren, »daß wissenschaftliche
Entdeckungen mehr mit surrealistischem Denken als mit
Logik zu tun haben«. »Was ich ersehnt«, schreibt sie an an-

derer Stelle, »war eine Einheit von Medizin, Wissenschaft und Kunst.« Und als »die schlimmste Sünde« des ärztlichen »Berufsstandes« sieht sie »die mangelnde Anteilnahme an den Patienten, die Kälte des Herzens«. – Ich versage mir hierzu jeden aktuellen gesundheitspolitischen Kommentar.

Als sie lesbische Frauen suchte, mit denen sie ihre Interviews machen könnte, bemerkte eine Zeitung: Dr. Wolff wants people, not patients – Charlotte Wolff haßte den Ausdruck »Patient«, sie sah in ihren »Patienten« und »Patientinnen« gleichberechtigte Partner und Partnerinnen, denen sie half, zu sich selbst zu finden, und die ihr eine Fülle von Einsichten in das Wesen von Menschen vermittelten. Ihre Beschreibung von Personen zu lesen – gleichgültig, ob es sich um Verwandte, Freunde, Freundinnen, Klienten handeln mochte – ist ein Genuß und zugleich eine Schulung der eigenen Beobachtungsgabe: Aus körperlichen Ausformungen, aber auch aus der kleinsten Geste zog sie weitreichende und, wie mir scheint, meistens zutreffende Schlüsse. Selbstverständlich bin ich nicht kompetent, Charlotte Wolffs Untersuchungsergebnisse zu beurteilen, aber ich glaube sagen zu können, daß sie sich durch ein einzigartiges Zusammentreffen von in sich widersprüchlichen Anlagen, heterogenen Interessen, einer Widerstand provozierenden sozialen Herkunft, die ihr Judentum einschließt, von persönlichem Schicksal und dem Hineingerissenwerden in die barbarischste Periode der deutschen Geschichte zu einem Menschen entwickelte, der aus häufig schwierigen, manchmal verzweifelten Umständen – wie soll ich das nennen – Unverwechselbares, Wertvolles zutage förderte. Ein Mensch, der oft innerlich zerrissen war – darüber sprechen auch ihre Briefe – und intensiv nach anderen Menschen suchte, die diese Zerrissenheit sahen und verstanden, der aber zugleich die widerstrebenden Elemente seiner Persönlichkeit zu binden wußte – eine schwere, andauernde Arbeit an sich selbst – und anderen, ich glaube: vielen anderen Hilfe und Halt geben konnte.

Denn als Charlotte Wolff auf der Flucht vor den Nazis nach Paris kam, hatte sie, wie so viele deutsche Emigranten, nichts, war sie ein Niemand, ein Mensch ohne Schutz, hautlos allen Widrigkeiten des Emigrantendaseins ausgesetzt. Aber sie hatte das Talent, Freunde, vor allem: Freundinnen zu finden, die ihr die ersten Schritte erleichterten, den Boden ebneten. Wie schon in Berlin, ist die Liste berühmter Namen, die ihr zu Freunden oder jedenfalls zu guten Bekannten wurden, lang, und so wird es auch in London sein. Ich stelle mir vor, daß alle diese Menschen – unter ihnen viele Künstler, Wissenschaftler – fasziniert waren von der Persönlichkeit, dem Geist, den Ideen dieser Frau; natürlich waren sie äußerst alarmiert durch die Möglichkeit, etwas mehr über sich, ihren Charakter, ihre Anlagen zu erfahren, indem sie ihr ihre Hände zeigten: Das war die erste »Praxis« von Charlotte Wolff im Exil, auf die sie ihren Lebensunterhalt gründete. Doch war dies eine »Rettung« mit für sie widersprüchlichen Folgen: »Meine Rolle bei diesen Handanalysen stimmte nicht mit meinen professionellen Werten überein. Und das führte dazu, daß ich in einen Zustand depressiver Angst geriet.« Wie oft wird sie, in der langen Zeit des Exils – mehr als fünfzig Jahre! –, noch diesen Zustand an sich erfahren; ich glaube, selten ist so rückhaltlos über die seelischen Folgen der Entwurzelung geschrieben worden wie durch Charlotte Wolff, die, keiner Partei, keiner Gruppierung, keiner Verbindung angehörend, als Ärztin auch in England lange nicht zugelassen, im äußersten Sinn des Wortes »ausgesetzt« war und, eigentlich bis zum Schluß, am Rand der jeweiligen Gesellschaft lebte, da, wo jederzeit der emotionale und auch der materielle Absturz möglich ist. Sie zahlt die andauernde Anspannung und Überanstrengung mit psychischen Störungen, mit Krankheit. Es erschöpfte sie, in ihrer Arbeit immer »die Tür ihres Unbewußten« öffnen zu müssen, um »zum Unbewußten der anderen Menschen« vorzudringen. Sie sehnte sich nach »Aufmerksamkeit und Fürsorge, Unterstützung und Liebe eines anderen Menschen« – nach einer »Mutter in vielen Gestalten, mit vielen Gesichtern«. Sie hat in England nie eine wirkliche Heimat gefunden, nie das Gefühl der Fremdheit, des Ausgegrenztseins verloren, aber sie fand einzelne Personen, Frauen, mit denen sie zusammenlebte oder die ihr ihr eigenes Haus und ihre Zuwendung anboten, die wenigstens teilweise, wenigstens auf Zeit den Rückhalt und die Sicherheit gaben, die für sie lebenswichtig waren. In den zwanziger Jahren hat eine alte russische Frau in Berlin einmal zu ihr gesagt: »Das schlimmste Schicksal überhaupt ist, im Exil zu leben.« Charlotte Wolff hat bis auf den Grund die Erfahrung durchlebt, »eine Jüdin zu sein, die sich nirgendwo absolut sicher fühlen kann – nicht einmal in Israel«.

Die Versuchung ist groß, immer weiter aus Charlotte Wolffs Arbeiten zu zitieren, aber da es sowieso unmöglich ist, die Fülle der Themen und Einsichten, die sie ausbreitet, auch nur anzureißen, lasse ich es bei dem wenigen bewenden, in der Hoffnung, es möge mir gelungen sein, auch denjenigen, die bisher nichts von ihr kannten als ihren Namen, deutlich zu machen, welchen Gewinn sie daraus ziehen können, wenn sie sich mit dem Leben, dem Gedankengut dieser Frau auseinandersetzen. Denn, nicht wahr – nicht ihretwegen bekommt dieses Volkshochschulkolleg ihren

Namen: Charlotte Wolff ist tot und braucht keine Ehrung mehr. Wir brauchen sie, und ihretwegen, unseretwegen hat die Gruppe von Lehrkräften, die auf sie stieß und sich von Charlotte Wolff gefangennehmen ließ, diese Namensgebung durchgesetzt. Dazu möchte ich Sie beglückwünschen.

Gestatten Sie mir noch ein Postscriptum: Charlottes Freundin schrieb mir 1986, daß sie, Charlotte, am 12. September in ihrer Wohnung an einer Herzthrombose gestorben sei. Dies war der Tag, an dem ich anfing, die Absätze über sie in meinem Buch »Störfall« zu schreiben, durch die wiederum Sie darauf aufmerksam wurden, daß ich Charlotte Wolff kannte. So schließt sich ein Kreis. Wie hätte Charlotte, kaum verwundert, diese »Zufälle« genossen!

Wüstenfahrt

Die Verabredung galt. Der Tag war gekommen.

Merkwürdig, daß wir auf unserer Wüstenfahrt öfter schlechte Laune hatten, daß wir aber später jedesmal Lachkrämpfe bekamen, wenn wir davon erzählten. Beides, die schlechte Laune und das Gelächter, ging auf Susans Kosten, Susan, die wir dann eine nach der anderen beschwichtigten, als sie uns nach der Fahrt anrief: Ich glaube, es ist nicht alles so gelaufen, wie es sollte, hoffentlich hat es dich nicht zu sehr gestört. Aber nein, aber wieso denn, es war doch großartig.

Mir mußte man ja zugute halten, daß ich neu war und mich arglos Susans Leidenschaft, Gruppenunternehmen zu organisieren, überließ. Die anderen gaben später zu, daß ihnen schon mehr als einmal ein Dinner um sieben Uhr, zu dem sie hungrig bei Susan eingetroffen waren, gegen elf Uhr nachts noch immer nicht serviert wurde. Oder daß Susan eine Gruppe, die auf sie wartete, einfach vergessen konnte. Nun immerhin, vergessen hatte sie unsere Wüstenfahrt nicht, aber es konnte auch keine Rede davon sein, morgens um zehn Uhr bei ihr abzufahren, wie sie selbst es uns immer wieder eingeschärft hatte. Therese, von uns allen die glühendste Liebhaberin der Stadt Los Angeles, hatte mich pünktlich abgeholt, darin sei sie eben sehr deutsch, sagte Susan beinahe tadelnd, und auch Margery, die rechtzeitig auf dem Rücksitz von Thereses Auto gesessen hatte, sei durch ihr Heidelberger Psychologie-Jahr von der deutschen Pünktlichkeit angesteckt, Susan nannte uns fast verächtlich die »deutsche Gruppe«. Dabei war auch Jane bei uns, die wir aus ihrer Fotogalerie abholen und noch in ihre Wohnung fahren mußten, weil sie – typisch! sagte sie – ihr Portemonnaie vergessen hatte, so daß wir sowieso schon eine halbe Stunde zu spät kamen – was hatte denn Jane mit Deutschland zu tun? Sie hat einen deutschen Freund, oder nicht? fragte Susan bissig. Therese, ursprünglich eine Fremde wie ich, aber seit langem, besessen von Kalifornien, tief in die geheimen Fäden verstrickt, die sie alle miteinander verbanden, Therese flüsterte mir zu, ob ich nicht wisse, daß das Haus, in dem Jane ihre Galerie betrieb, Susan gehöre. Toby, in dessen Auto Susan fahren würde, machte uns ein Zeichen: Wir sollten schweigen, und als Susan im Hausinnern verschwand, weil sie ja schließlich eine Zahnbürste und ein Stück Seife mitnehmen müsse, erfuhren wir, daß Ted und Mac, Susans Freunde, die keiner von uns kannte und die also mitkommen würden, noch nicht da waren. Ich hatte Zeit, mich zu fragen, wie ich mir Susans Behausung denn vorgestellt hatte, da es mich überraschte, daß eine reiche Frau wie sie – du, hatte Jane mir beschwörend versichert, sie hat wirklich Geld, sie besitzt eine Insel! – ein kleines, unscheinbares Holzhaus mit winzigem Vorgarten in einem der schmalen Sträßlein von Venice bewohnte und daß es ihr gar nichts ausmachte, wenn drinnen das Chaos herrschte. Also schlug ich mir am besten alle Klischeevorstellungen aus dem Kopf.

Zwar war es nicht abgesprochen, aber Susan hielt es für selbstverständlich, daß sie Rolly mitnahm, ihren Hund, sie konnte ihn schließlich nicht zwei Tage allein lassen. Oh no! rief Jane verzweifelt, und das Tier, eine Mischung, in der ein Terrier deutliche Spuren hinterlassen hatte, stürzte sich auch sofort auf sie. He hates me! schrie sie. Aber Susan würde ja die Leine mitnehmen, also würde Rolly keine troubles machen. Alle schwiegen, am tiefsten schwieg ich.

Mac und Ted, zwei Männer mittleren Alters und von mittlerer, untersetzter Statur, beide schwarzhaarig, der eine mit einem krausen Schopf, der andere mit einem enganliegenden Haarkäppchen, dessen Spitze tief in die Stirn gezogen war, kamen in einem Auto, das sogar ich nicht für fahrtüchtig halten konnte und das sie ja auch stehenlassen würden. Sie gaben keine Erklärung ab für ihre Verspätung und sprachen überhaupt sehr wenig. Stumm setzten sie sich zu Toby, Susan und den Hund Rolly in Tobys Auto und fuhren los. Keine von uns vier Frauen, die wir schließlich in Margerys TOYOTA von Therese auf den Freeway gesteuert wurden, hatte je etwas von Mac und Ted gehört, keine hatte auch nur die mindeste Ahnung, welcher Nationalität sie waren, womit sie ihr Geld verdienten und in welcher Beziehung sie zu Susan standen. Ich glaube, sie braucht das, sagte Margery. Aber was denn, fragte Therese, und Jane war schweigend in ihren Zorn eingesponnen, bis unvermeidlich der Moment kam, in dem wir alle auf einmal in Lachen ausbrachen und nicht wieder aufhören konnten. Wir schrien vor Lachen.

Was, sagten die Freunde, die nicht dabei waren und denen wir später alles erzählten, ihr seid in die Wüste gefahren, um den Vollmond zu sehen! Was daran komisch sein sollte, verstanden wir nicht, uns war es als die natürlichste und wünschenswerteste Sache der Welt erschienen, nur daß wir eben die meiste Zeit nicht in der Wüste, sondern im Auto verbracht hatten. Aber hatten wir nicht dadurch schon gemeinsame Erinnerungen, sagte Therese.

I love it! sagte Jane, und auch ich fand es jeder Mühe wert. Ich versuchte meinen neuen Gefährten in ihrer Sprache klarzumachen, wie ich es liebe, wenn die verschiedenen Zeiten, in denen wir leben, miteinander verschmelzen und ihre Spur in uns hinterlassen, ich versuchte ihnen meinen Horror vor vertanen Lebensabschnitten verständlich zu machen. Sie schienen Bescheid zu wissen. That's my problem, sagte Toby, I waste my time. Therese widersprach ihm heftig, ich sagte, everybody wastes a lot of his or her time, that's a modern problem, that's a common way to make us feel guilty. Ich kannte andere Möglichkeiten, mich schuldig zu fühlen, sie wußten es.

Wie immer, wenn ich einige Zeit auf dem Freeway fuhr, stellte sich das Gefühl ein, ich glitte auf einem Laufband in die eine Richtung, während die Stadtlandschaft zu beiden Seiten sich auf zwei Laufbändern in die entgegengesetzte Richtung bewegte. Wir nahmen zuerst den Santa Monica Freeway. Die Sonne, die an diesem Märztag von einem wolkenlosen Himmel herunterbrennen würde, blieb uns im Rücken, aus der Stadtlandschaft von kleinen Holzhäusern, Palmen, Einkaufszentren und Verwaltungsgebäuden, die ich zuerst unglaubwürdig gefunden hatte und die mich nun mehr und mehr faszinierte, drehte sich allmählich die Wolkenkratzerinsel von Downtown in unser Gesichtsfeld, blieb lange wie ein neues böses Utopia blinkend und blitzend linker Hand am Horizont, dann verdrehte ich mir den Hals danach. Ich fragte mich, warum jede Fahrt durch diese Stadt ein Hochgefühl in mir erzeugte, es konnte doch nicht sein, daß diese planlose Ansammlung menschlicher Behausungen meinem Schönheitsideal entsprach. Das Licht, gewiß, das unvergleichliche Licht, das beinah peinliche Wörter wie »trunken« in mir wachrief, trunken von diesem

126

Licht, mit dem ich mich vollpumpte, unersättlich, bis ich mich aufgeblasen fühlte, ein Ballon voll Licht, der abends hätte leuchten müssen. Aber das Licht war nicht die Stadt. Die Stadt war der Moloch, in dessen Bann ich mich brachte, jedesmal wenn ich sein Hoheitsgebiet betrat oder besser: befuhr. Mutwillig setzte ich mich diesem Basiliskenblick aus, unterstellte mich seinen Gesetzen, mit jenem Gemisch aus Grauen und Faszination, das die alten und die neuen Ungeheuer schon immer in uns ausgelöst haben und das ich in mir nicht vermutet hätte. Vielleicht war es das, dieses Stadtungeheuer ließ mich empfinden, was ich vorher noch nicht empfunden hatte. Vielleicht war ich süchtig nach diesen neuen Empfindungen.

Nicht so süchtig allerdings wie Therese, die glücklich am Steuer saß und die, wie wir alle wußten, diesem Stadtmonster verfallen war und jeden Vorwand nutzte – und sei es der vage Wunsch einer deutschen Zeitung, aus erster Hand etwas über die Bürgermeisterwahlen in Los Angeles zu erfahren –, um über den Ozean zu jetten und sich ihm wieder auszuliefern. Masochismus, sagte Margery, die ihrerseits von der Verfallsromantik von Berlin, Prenzlauer Berg, schwärmte und sich entschlossen zeigte, ihre Praxis für Eheberatung in Beverly Hills zu schließen und in der Oranienburger Straße ein Restaurant zu eröffnen. Die Leute da gefielen ihr, neulich habe sie in einem der vielen Cafés gesessen, mitten im Strudel der Passanten, so etwas wünsche sie sich für ihr Lokal, normale Leute, Leben, Betrieb. Mexikanische Küche, die gebe es dort noch nicht. Ich sagte, jeder halte wohl das Gegenteil von dem, was er hat, für das wahre Leben. No, sagte Jane. Not me. Ich drehte mich zu ihr um und sah ihr kräftiges schönes Profil an den spärlicher, immer ärmlicher werdenden Stadtrandhäusern vor-

beifahren. Du bist zufrieden mit dem, was du hast, Jane? –
Zufrieden? Ich lebe.

Ein Teil von mir löste sich aus meinem Körper und fing
an, von einem höheren Standpunkt aus auf uns herabzu-
blicken, auf unser bläulich blinkendes flinkes Auto mit uns
vier Frauen darin, die wir nur unter Ausschaltung jeglicher
Wahrscheinlichkeitsrechnung an diesem Märztag auf dieser Straße gemeinsam unterwegs sein konnten. Gelobt sei
der Zufall, die Triebkraft der besten Erfahrungen.

Natürlich war die Fahrzeit zu unserem ersten Haltepunkt
zu kurz berechnet, es wurde Mittag, ehe wir auf den Parkplatz vor HARDLEY'S einbogen, eine offenbar beliebte
Raststätte in einem Stil, der sich bei uns »rustikal« nennen
würde. Lunchtime. Schon reichte meine Erfahrung aus, um
vorherzuwissen, was uns erwartete, die Zeit würde kommen, da auch ich einsah, wie praktisch es ist, daß der hung-
rige Reisende überall im großen Amerika an den Autostra-
ßen die gleichen Speisen vorfindet, keine Experimente also,
ich bestellte mein übliches Roastbeef-Sandwich und wohnte
gefesselt und sachkundig seiner Herstellung bei, bewun-
derte wieder die atemberaubende Fixigkeit der Hände, die
ein Salatblatt, einige Scheiben Roastbeef, Tomaten, Gur-
ken, viel zuviel Senf zwischen zwei Brotscheiben warfen,
welche sich sehr zu Unrecht »Roggenbrot« nannten und die
man als fertiges Sandwich nur verspeisen konnte, wenn man
keine Hemmungen mehr hatte, den Mund bis über seine natürliche Sperre aufzureißen, sich bis an die Nasenspitze zu
beschmiern und reichlich auf den Pappteller zu kleckern,
der einem nebst einer Menge von Servietten freundlicher-
weise gereicht wird. Nicht zum erstenmal erlebte ich, daß
diese Art Essen durch die Konzentration, die man darauf
verwenden muß, vereinzelt, mit unseren vollen Mündern

konnten wir die Besatzung unseres zweiten Autos nicht gebührend begrüßen, die zehn Minuten nach uns eintraf.
Susan strich an unserem Tisch vorbei und beklagte sich
über die Verkehrsdichte auf dem Freeway, die sie aufgehalten habe, gerade so, als sei dichter Verkehr auf den Freeways von Los Angeles etwas Unvorhersehbares. Susan erwartete keine Antwort auf ihre absurde Entschuldigung,
aber unsere gute Laune schien ihr Absolution genug, sie
stellte sich zwischen Mac und Ted zum Bestellen an die
Theke und ließ sich von dem einen ihren Hamburger, von
dem anderen ihr Mineralwasser an den Tisch bringen. Rolly
den Hund hielt sie an kurzer Leine und fütterte ihn mit den
Resten ihres Hamburgers, die ihn von seiner Fixierung auf
Jane ablenkten. Uns wurde nicht die Freude zuteil, die
Stimmen von Susans beiden Paladinen zu hören, aber Therese, die natürlich mit Toby an der Holzbrüstung von
HARDLEY'S stand, solange unsere Zeit es ihr erlaubte, erfuhr, daß die beiden auch im Auto fast nur geschwiegen hätten, doch einige Proben ihrer Fähigkeit zu sprechen, hätten
sie immerhin abgeliefert, und, so berichtete uns Therese, als
wir wieder im Auto saßen, es sei wohl Englisch gewesen,
was sie gesprochen hätten, soweit Toby es erraten habe.

Die Landschaft begann sich zu verändern, sie wurde kar-
ger, nur die Silhouette der Santa Anna Berge linker Hand
am Horizont schien sich gleich zu bleiben. Kleine Ansied-
lungen ärmlicher Häuser trieben vorbei, alle mit Armatu-
ren für airconditioning versehen. Anders könne man hier
mindestens fünf Monate im Jahr nicht überleben, sagte
Jane, die Leute würden dann von ihrer airkonditionierten
Wohnung in ihr airkonditioniertes Auto wechseln, um
jeden Morgen die weite Strecke nach L.A. zur Arbeit zu
fahren, denn nur hier könnten sie die Miete aufbringen.

Manche Eltern würden ihre Kinder früh aus dem Bett ins Auto tragen, sie dort anziehen, im Auto mit ihnen frühstücken, sie bei der Schule abliefern und nachmittags wieder abholen, um sie zu Hause schnell abzufüttern und ins Bett zu stecken. Sätze wie: Aber das ist doch kein Leben! hatte ich mir schon abgewöhnt, kaum staunte ich noch darüber, wie viele Arten von Leben denen, die sie führen müssen, immer noch lebenswert erscheinen. Und übrigens, sagte Margery, gebe es Untersuchungen darüber, daß der Zusammenhalt in diesen Autofamilien erstaunlich gut sei, immerhin widmeten sich die Eltern ihren Kindern vier Stunden am Tag, wenn sie auf engstem Raum zusammengesperrt sind, in welcher Familie gebe es das sonst?

MENTAL PHYSICS! Das Schild war schwer auszumachen, wir erwischten gerade noch die Einfahrt, fuhren an Gebäuden vorbei, die ein berühmter Architekt einst entworfen haben soll, an irreführenden Wegweisern, die uns im Kreis herumführten, bis wir hinter Tobys Wagen den Weg zum zentralen Bürohaus fanden, das wie alle anderen Häuser aus Holz war und eher einer Baracke glich. Übrigens waren wir tief in den Nachmittag hineingeraten, und Susans erste Worte an den älteren Mann, der, schwer hinkend, die Stufen hinauf voranging, trieben ihn zur Eile. Wir hätten gar keine Zeit. Aber dann standen wir doch in dem großen mit Computern bestückten Büroraum herum und studierten das Werbematerial für einen Wochenendaufenthalt mit geistigen Übungen, das eine dürre Frau, die in eine Art farblosen Sackleinens mehr gehüllt als gekleidet war, freigiebig an uns verteilt hatte: Fotos von Menschen, die auf dem Fußboden in einem Kreis saßen, sich an den Händen hielten, die Augen geschlossen hatten und sich um einen durchgeistigten Gesichtsausdruck bemühten, und die

Zeugnisse ehemaliger Teilnehmer, die durchweg ein erfüll-
teres, ausgeglicheneres und vor allem erfolgreicheres Leben
führten, nachdem sie in MENTAL PHYSICS die Voraussetzungen dazu erworben hatten. Nur im Zentrum der
Weisheit schienen die Rezepte nicht zu wirken, außer uns
wünsche heute niemand hier zu übernachten, und es liefen
auch keine mentalen Kurse, mangels Beteiligung, sagte die
dünnlippige Frau nicht ohne Vorwurf. Nobody wants to
develop himself, sagte sie und maß uns mit Blicken, aus
denen die tiefe Enttäuschung an der menschlichen Rasse
sprach, was sie aber nicht daran hinderte, unsere Über-
nachtungspreise per Computer auf den Cent genau zu be-
rechnen. Doch ehe es ans Bezahlen ging, verschwand Susan
mit ihr in einem Nebenraum und überließ uns den Hund
Rolly, der gegen die dürre farblose Managerin dieser Herberge sofort eine stürmische Abneigung gefaßt hatte, die
Jane schadenfroh mit der Diagnose kommentierte: Das
Tier ist krank. Don't you think him to be ill?

Später wurden wir nicht müde, uns gegenseitig die Gefühle zu beschreiben, die uns erfaßten, als Susan mit der
Managerin zurückkam und halb triumphierend, halb ver-
legen verkündete, aufgrund einer alten Übereinkunft zwischen ihr und der Direktion müsse sie ihr Zimmer nicht bezahlen. In die Stille hinein hörte ich Margery halblaut
sagen: I can't believe it!, aber Toby wußte von Susans frü-
herem Abenteuer mit MENTAL PHYSICS. Das gleiche
Zimmer war zweimal vergeben worden, und Susan mußte
mitten in der Nacht ausziehen und draußen auf einem Lie-
gestuhl übernachten. Er erzählte es uns flüsternd, während
die Zimmerschlüssel verteilt wurden. Und um ihren Preis-
vorteil auszunutzen, hat sie uns hier untergebracht, sagte Jane. That's correct, sagte Toby ernsthaft. O goodness!

sagte Jane, aber Toby zeigte auf eines der vielen Poster an den Wänden, die alle Kernsprüche jener Lehre verkündeten, die in MENTAL PHYSICS vermittelt wurde: Gott liebt, die sich um ihren eigenen Vorteil kümmern. God loves those, who take care for their own advantage. Sie würde es sich merken, sagte Jane.

Der hinkende Mann, der den Hausmeister darstellte, mit der dürren Frau das einzige Personal, zeigte uns die bungalowähnlichen Häuschen, die zwischen Pinien standen und ganz einladend wirkten, bis wir sie aufschlossen und grabeskalte abgestandene Luft uns entgegenschlug. Hier hatte seit Wochen niemand ein Fenster aufgemacht. Die Einrichtung war spartanisch, das übliche riesige Doppelbett, ein kleiner Tisch, zwei hölzerne Stühle und eine winzige Duschkabine mit Betonboden. In die andere Hälfte meines Doppelhäuschens sollten Lowis und Bernadette, die »in der Wüste« zu uns stoßen würden, heute abend einziehen. Ich weiß nicht, ob irgendeinen von uns böse Ahnungen beschlichen, als dies überraschend verkündet wurde – später behaupteten es natürlich alle –, ich jedenfalls war zu ungeübt im Reisen mit Susan, um mir Gedanken zu machen. Wir waren ja auch in Eile, in allerhöchster Eile, hieß es, wir sollten nur unsere Taschen abstellen und uns sofort wieder bei den Autos einfinden, nur hatte eben Rolly, der Hund, diese Anweisung offenbar nicht verstanden und war, die Leine hinter sich herschleifend, ins Gelände entwischt, von wo ihn Susan und Mac und Ted, die, wie sich herausstellte, schöne laute Stimmen hatten, zurückzurufen suchten, während wir anderen, jegliche Emotion unterdrückend, müßig bei den Autos standen und hören konnten, wie die Zeit verging, die wir angeblich benötigten, um rechtzeitig »in der Wüste« zu sein.

Doch. Gerade auf diese Einzelheiten kommt es an. Wohl wäre es möglich, weniger ausführlich zu sein, aber ich weiß kein anderes Mittel als diese Ausführlichkeit und Detailgenauigkeit, um den Faktor Zeit, der unseren Ausflug mehr und mehr beherrschte, in die Erzählung hineinzubringen, und so scheue ich mich nicht, auch die Rückkehr eines höchst selbstbewußten Hundes noch zu vermelden, der den sanften Tadel seiner Herrin richtig als Liebesbezeugung verstand und ihr das Gesicht ableckte, was unsere Runde mit verkrampftem Lächeln registrierte. Danach wurden Richtlinien an die Fahrer ausgegeben, die hauptsächlich darin bestanden, daß wir uns zu beeilen hätten, daß weitere Aufenthalte nicht erlaubt seien und wir uns möglichst in Sichtweite von Tobys Auto halten sollten. Im übrigen beginne wenige Minuten nachdem wir die Hauptstraße verlassen hätten, die Wüste.

War neben dieser magischen Vision nicht alles andere unbedeutend, der Erwähnung kaum wert? Zwar würde es nicht meine erste Begegnung mit der Wüste sein. Die Vorstellung des Europäers, der das Wort »Wüste« nur mit dem Bild einer endlosen stummen Sandfläche verbinden kann, hatte ich längst abgelegt. Wir waren schließlich nicht in Nordafrika. Es gab Verzeichnisse derjenigen Pflanzen, denen es erlaubt war, in einer Wüste zu wachsen, und bis an den Rand der Joshuatree-Wüste, die wir nun von Nord nach Süd durchqueren würden, war ich ja schon einmal vorgedrungen. Allerdings hatte es da kein Abendlicht gegeben, das nun schnell und immer schneller einfiel und die bizarren Formen der kaktusähnlichen Joshuatrees außerordentlich hervorhob und zur Geltung brachte. Ich bin mir bewußt, daß der Versuch, die Joshuatree-Wüste im Abendlicht zu beschreiben, zum Scheitern verurteilt ist. Therese

133

fuhr nach der Anweisung schnell, aber doch nicht schneller als erlaubt, nach europäischem Maß nicht mehr als neunzig Stundenkilometer. Wir begegneten kaum einem anderen Fahrzeug, vor uns war nur Tobys Auto, ein grauer Ford. Menschenleere ist eine der Definitionen der Wüste. Rechter Hand rollte die Sonne im Lauf der nächsten zwei Stunden dem Horizont zu, der von der Gipfellinie einer nahen Bergkette markiert war. So würde uns die Sonne versinken, lange ehe sie im nahen Santa Monica in den Pazifischen Ozean eintauchen würde. Vorher aber leistete sie sich am Himmel und auf der Erde ein Farbenspektakel, das alles übertraf, was ich je an Farben in der Natur gesehen hatte. Es hat wenig Sinn, von Rot und Braun und Violett zu sprechen, von Flieder- und Malvenfarben, man muß das Zusammenspiel all dieser Farben mit allen ihren Schattierungen gesehen haben, ihre Brechungen, ihre Spiegelung am wolkenlosen Himmel, ihr Ineinanderübergehen. Wenn wir zuerst noch bewundernde Ausrufe ausgestoßen, uns gegenseitig auf einmalige Motive aufmerksam gemacht hatten, verstummten wir allmählich, fuhren schweigend durch ein Schauspiel, das wir nicht vergessen durften, bis nach der Hälfte der Fahrt Jane einen Stop verlangte: Egal, was passiere, sie müsse jetzt fotografieren. Therese schaffte es, Tobys Auto in einem gewagten Manöver zu überholen und ihm unsere Absicht zu signalisieren. Susan billigte uns zehn Minuten zu. Fototermin. Die Aufnahmen sind übrigens gar nicht schlecht geworden. Dem, der dabei war, bringen sie die Erinnerungen an die Farben zurück, an die Kälte, die aus der Wüste aufstieg, und an den faden trockenen Geruch. An die sanften Stacheln der Baby-Joshuatrees. An das Rascheln von Tieren, die vor uns flüchteten.

Susan trieb uns weiter. Punkt sieben würden Lowis und

Bernadette am Treffpunkt auf uns warten. Es war fast acht, als wir dort waren, steif und krumm von der langen Fahrt. Beim letzten Tageslicht konnten wir die Anweisungen und Warnungen auf der Tafel des Touristic-Centers entziffern. Keinesfalls sollte jemand allein und ohne eine Nachricht zu hinterlassen in die Wüste gehen. Auch sollten wir sie nicht ohne den vorgeschriebenen Wasservorrat durchqueren. Es stellte sich heraus, daß unsere beiden Autos mehrere volle Wasserbehälter mit sich führten. Aber wir sollten uns auch nachts nicht auf Wege wagen, die wir nicht kannten. Die Wüste, die mir gezähmt und zivilisiert vorkam, fordert immer noch jedes Jahr ihre Opfer.

Muß ich ausdrücklich bemerken, daß Lowis und Bernadette nicht da waren? Es begann also das Palaver über sie, das nicht mehr abreißen sollte. Acht Leute standen in der Finsternis am Rand der Wüste, der übrigens durch eine Holzbarriere markiert ist, und ergingen sich in Vermutungen, wann Lowis, der Geschichtsprofessor, am Nachmittag seine letzte Vorlesung gehabt haben mochte, und wann Bernadette, von der wir nichts wußten, als daß sie sehr schön sein sollte und, als was auch immer, in einem Filmteam tätig war, Arbeitsschluß gehabt haben könnte. Denn ohne sie, das konnte Susan wenigstens zu unserer Diskussion beisteuern, ohne sie würde Lowis nicht kommen. Auf keinen Fall. Das hatte er gesagt. Was er denn noch gesagt habe. Nichts. Ihr kennt ihn ja. Kennen? Einmal gesehen, als wir beim Italiener den Plan für diese Fahrt ausheckten. War er nicht Grieche? Hatte er nicht dieses römische Profil? Genau der. Warum sie so überzeugt war, daß er pünktlich hier sein werde. Weil er es gesagt habe. Ob er denn, als Ausländer, überhaupt die Entfernungen hier abschätzen könne. Woher solle sie das wissen!

So war sie, Susan, und nun würde sie keine Minute länger warten, sondern stracks in die Wüste hineingehen und zusehen, wie der Mond aufging. Sie rief Mac und Ted, die sich natürlich nicht an unserer Diskussion beteiligt hatten, sie rief Rolly, den Hund, der im Auto eingesperrt gewesen war und geheult hatte, als sei da schon ein Mond, den er anheulen konnte. Toby heftete eine Nachricht für Lowis an die Touristentafel, die dieser bei der Dunkelheit kaum entdecken würde, aber wir wollten doch wissen, was er da geschrieben habe. Wir sind in der Wüste. Folgt uns! hatte Toby geschrieben. Das war zuviel, fanden wir.

Also passierten wir lieber die Holzbarriere, die die Wüste vom Parkplatz trennt, verfolgten den leicht abschüssigen Weg, den wir allerdings nicht sahen. Jetzt begriff ich den Ausdruck »ägyptische Finsternis«. Hatte man es nicht auch in Ägypten häufig mit Wüste zu tun? Jemand rief, ob Susan eine Ahnung habe, wann der Mond aufgehen sollte. Darauf kam keine Antwort mehr, selbst Rolly der Hund schwieg. Jemand fragte nach einer Taschenlampe, aber wozu braucht man eine Taschenlampe, wenn man den Mond hat oder doch hoffentlich bald haben würde. Durch Zuruf stellten wir fest, daß wir noch zu viert waren, Jane, Margery, Toby und ich. Wo war Therese? Sie war, berichtete Margery, »wie eine Ziege« den Berg links beim Parkplatz hochgeklettert, vom Gipfel aus wolle sie die Sonne unter- und den Mond aufgehen sehen. Was ich dachte oder fühlte, war: Das darf doch alles nicht wahr sein.

Niemandem habe ich erzählt, was ich mir vorgestellt hatte: Ich hatte uns inmitten einer Ebene gesehen, ringsum ein weiter, tiefer Horizont, über dem die große gelbe leuchtende Mondampel hing und ihr geheimnisvolles Licht auf ebendiese Ebene ergoß. Statt dessen sah ich die Hand vor

Augen nicht, stolperte einen Pfad hinauf, der aus Unebenheiten, Löchern und lockeren Steinen bestand und der sich, je höher er uns führte, als um so unsicherer, fast als gefährlich erwies. Ein hilfesuchender Griff in die Pflanzenwelt zu beiden Seiten verbot sich, da diese Pflanzenwelt aus scharfstachligen Kakteen bestand. Linker Hand, erklärte Jane, sei eine berühmte Palmenoase. Wundersamerweise hörten wir ein Wässerchen rauschen. Diesen Flecken bei Tageslicht zu sehen hätte sich gelohnt, erfuhr ich, aber ich war in einem Gemütszustand, in dem kein Flecken dieser Welt mich hätte locken können. Ich konnte nur an den Rückweg denken, der, abschüssig, wie er war, beschwerlicher sein würde als der Aufstieg. Schließlich stand ich, von Jane gezogen, von Toby geschoben, auf einem winzigen Steinplateau, das nach allen Seiten hin abfiel und nur gerade ein ebenes Plätzchen für meine Füße bot, und in dieses Plätzchen krallte ich mich ein, hier stand ich und würde ich stehenbleiben, keinen Schritt würde ich weitergehen, der Mond mochte aufgehen oder es in Gottes Namen bleiben lassen. In geringem Abstand standen, säulengleich, Jane und Margery auf ähnlichen Inseln, ich hörte sie atmen und begann aus der Dunkelheit ihre noch dunkleren Umrisse zu ahnen. Wo war Toby? Toby war natürlich zurückgegangen, um nach Therese zu sehen. Schließlich konnte sie sich in der Finsternis auf dem steilen Weg etwas getan haben, und übrigens durfte sie auch erwarten, daß Toby zu ihr kam. Aha. Jeder hier schien Bescheid zu wissen, was Therese von Toby erwarten konnte und warum, außer mir natürlich. Okay, okay, ich war schließlich hier die Fremde. Ich war schließlich nur mitgenommen worden. Alle die anderen wußten alles über Mond, Leute und Wüste, ich wußte nichts. Ich stand da auf einem winzigen Plätzchen, und wenn ich nur einen Fuß bewegte, konnte ich abstürzen, mitten hinein in diese verdammten Joshuatrees, die mich genußvoll aufspießen würden, und diejenigen, denen daran lag, ob ich hier zu Schaden kam oder nicht, waren um die Spanne eines halben Erdballs von mir entfernt, sie hatten vor zwei Stunden in aller Ruhe gefrühstückt und gingen jetzt ihren zivilisierten Vormittagsbeschäftigungen nach, und meinen Gedankenanruf vernahmen sie nicht.

Margery regte sich. Also auf Susan und die beiden Paladine zu warten hatte keinen Sinn. Wer weiß denn, ob sie nicht gerade jetzt ihr Geschäft zum Abschluß brachten. Wieso? Nun, sie hatte inzwischen gehört, daß die beiden mit Susan über den Kauf eines Hauses in Verhandlung standen. Toby und Therese würden sowieso zum Parkplatz kommen, wenn sie ihre Angelegenheiten geregelt hätten, was immer das sein mochte. Und wenn es noch eine schwache Hoffnung gab, Lowis und Bernadette zu treffen, dann auch nur dort. Und der Mond, falls er doch noch erscheinen sollte, würde von überall zu sehen sein, oder etwa nicht. So machten wir uns auf den Rückweg, der kürzer und einfacher war, als ich befürchtet hatte, standen dann verloren auf dem großen dunklen leeren Parkplatz und wußten nun erst recht nicht, was wir tun sollten. Da fand ich, der Schein, der linker Hand über der Bergkette schon eine Weile schwach geleuchtet hatte, habe sich verstärkt, und jetzt sahen Margery und Jane es auch, deutlich konturiert war die Gipfellinie, der Schein füllte sich von einer unsichtbaren Quelle mit Licht auf, mit gelbem Licht, schon breitete er sich über das untere Viertel des Horizonts aus, jetzt war es keine Sinnestäuschung mehr, jetzt übertrug sich unsere Spannung auf die Landschaft, die sachte, ganz sachte aus ihrer verwunschenen Dunkelheit aufzutauchen begann. Hier fand eine Erlösung statt, und wir waren ihre Zeugen, denn nun konnte es sich nur noch um Minuten, dann um Sekunden handeln, bis die Quelle dieses wunderbaren Lichts sich zeigen mußte. Zwei Gestirne hatten sich auf vorgeschriebenen Bahnen umeinander bewegen müssen, damit jetzt! jetzt! der goldene Rand des Mondes sich über den Berg schieben konnte. Da wurde er, war er, in Minuten stand er, makellos rund, am östlichen Himmel, und nun fehlte es uns nicht mehr an Licht und an einem ergriffenen Mut und Übermut, der sich Luft machen mußte in einem langen Schrei.

Die Antwort kam vom Berg, von Therese und Toby auf halber Höhe, ihnen da oben hatte der Mond schon früher geleuchtet, und wer wußte denn, welches Licht ihnen sonst noch aufgegangen war, nun waren sie auf dem Weg zu uns. Be careful! riefen wir Therese zu, aber sie hatte ja gute Sicht und Tobys stützende Hand, da konnte ihr nichts mehr passieren, und es passierte ihr auch nichts, bis sie unten war und Toby sie losließ, am Rand des Parkplatzes, der unvernünftigerweise von einer Art Bürgersteig umgeben war, mit einer Stufe, die Therese im tückischen Mondlicht nicht sah, so daß sie stolperte, abrutschte und sich den Fuß verstauchte, den linken Fuß, der von Herzen kommt. Au verwünscht! sagte sie, und nun brauchte sie Tobys Arm. Ist was? fragten wir, aber sollte sie zugeben, daß diese lächerliche Stufe ihr zum Verhängnis geworden war? Nein, nein, es war nichts, im Gegenteil. Jetzt schloß sie den Kofferraum auf, und da gab es ein paar Flaschen Rotwein, und Jane hatte ein großes Stück Käse mitgenommen, und Margery hatte zum Glück in letzter Minute an Brot gedacht, ich hatte ein scharfes Messer und kleine Plastikbecher. Was brauchten wir mehr. Da standen wir im Mondlicht und aßen Brot und Käse auf unseren Hunger und tranken Rotwein auf unseren Durst und ließen Susan hochleben, die den genialen Einfall zu dieser Reise gehabt hatte, und da bellte auch schon Rolly der Hund und zerrte seine Herrin an der Leine hinter sich her, und Susan beschrieb uns begeistert den Mondaufgang hinter den Bergen, und Mac sah sie dabei bewundernd an, während Ted ihr mit großen anschaulichen Gesten zu Hilfe kam. Auch für sie gab es Brot und Wein, und erst als alles aufgegessen war, stellte sich wieder, doch keineswegs zum letztenmal, die Frage nach Lowis und Bernadette. Wußten sie eigentlich, wo wir übernachten wollten? Das glaubte Susan nicht, denn warum hätte sie es ihnen sagen sollen, wo wir uns doch hier treffen würden? Und übrigens müßten wir jetzt schnell, sehr schnell, nach TWENTYSEVEN PALMS GARDEN fahren. Was um Himmels willen das nun wieder sei. Das sei nichts anderes als das Restaurant, bei dem wir zum Dinner angemeldet seien, das aber nach elf Uhr keine Bestellungen mehr annehme. Also los. Brot und Käse hatten uns nicht satt gemacht. Leuchte, guter alter Mond, leuchte. – Hast du noch nicht genug?

Es stellte sich heraus, daß Therese nicht fahren konnte. So fatal es ihr war, mußte sie ihren linken Fuß ins Scheinwerferlicht halten, um uns sehen zu lassen, daß er angeschwollen war. Es sei nichts, gar nichts, nur kuppeln könne sie nicht mit diesem Bein, und Margery, altmodisch wie sie war, habe ja auf einem Wagen ohne Automatik bestanden. Right, sagte Jane und setzte sich hinters Steuer. Irgendwann mußte ich sie doch fragen, woher sie diese Fähigkeit hatte, sich in jeder Lage sofort zurechtzufinden. Jetzt aber machte ich Therese darauf aufmerksam, daß das Mondgesicht hier anders aussah als in Europa, spiegelverkehrt, sei mir vorgekommen, Therese hatte es nicht bemerkt, und

Margery und Jane sehen überhaupt kein Gesicht im Mond, sondern ein buckliges Weiblein mit einem Bündel Scheiterholz auf dem Rücken. Die Frau im Mond, la luna, die Mondin, es gefiel mir, aber ich konnte der Gedankenkette nicht nachhängen, denn Jane riß ohne Vorwarnung das Steuer herum und bog, »auf zwei Rädern«, würde es in einem Thriller heißen, mit viel zu hoher Geschwindigkeit nach rechts auf den Parkplatz vor jener Blockhütte, die im nüchternen Tageslicht nichts war als eine Rangerstation zur Überwachung des Nationalparks Wüste. Dicht hinter Tobys Ford kamen wir zum Halten. Excuse me, sagte Jane, but I think we caught them.

Und so war es. Wir hatten sie gefangen, Lowis und Bernadette nämlich, die im schimmernden Mondlicht in einem weißen offenen überlangen Cadillac saßen, Apfelsinen schälten und sich die Stücke gegenseitig in den Mund schoben. Und die unsere Aufregung nicht verstanden. War das nicht der Parkplatz, auf dem wir verabredet waren? Ach nein? Und wir hatten sie drei Stunden früher erwartet? Ja aber das war doch unmöglich, Lowis war nicht vor vier aus der Universität gekommen, und dann hatte er Bernadette abholen müssen, und dann waren sie in die rush hour geraten, und ob wir überhaupt wüßten, was die rush hour auf dem Freeway in Los Angeles sein kann. Siehst du, sagten wir zu Susan, ein ganz klein wenig vorwurfsvoll und rechthaberisch, aber Susan zuckte die Schultern, nun sei ja alles gut, jetzt würden die beiden sich an unsere Räder heften, Jane würde darauf achten, sie nicht zu verlieren, und Toby würde schnell vorausfahren, um uns das Dinner zu sichern. Das schien erstaunlich vernünftig, wir formierten uns nach Susans Anweisungen und fuhren los.

Findet ihr Bernadette wirklich so schön? fragte Jane.

Wer's mag, sagte Margery. Hat Susan ihnen eigentlich jetzt gesagt, fragte ich nach einigen Kilometern, wo wir essen wollen und wo wir übernachten? Warum sollte sie, sagte Margery. Meine Frage war unangebracht. Ich verwies mir meine typisch deutsche Penibilität. Wann würde ich begreifen, daß in Kalifornien die europäische Logik außer Kraft gesetzt war. Daß nicht immer die Gerade die kürzeste Verbindung zwischen zwei Punkten ist. Das sagte ich, Jane wollte wissen, wie ich das meine, und ich verhedderte mich im Erklärungsversuch. Sie möchte sich ein Bild von Susan machen, meinte Margery mütterlich, aber es ging nicht nur um Susan, es ging eher – Look, sagte Jane, die Augen im Rückspiegel, what happened with their lights! Wir drehten uns um und sahen es auch. Wenn das hinter uns Lowis und Bernadette waren, dann war einer ihrer Scheinwerfer ausgefallen. Wie sollten wir ihnen das beibringen. Oder hatten sie es längst bemerkt und hielten sich hinter uns, um auf dem Parkplatz beim Restaurant den Schaden zu beheben. So war es ganz sicher, und das war ja auch das vernünftigste – unterlief dieses Wort uns nicht ein wenig zu oft in der letzten Stunde? –, denn die Straße war um diese Zeit leer, und wir hatten nur noch ein kleines halbes Stündchen zu fahren, wenn wir Susans Wegbeschreibung trauen konnten. Am besten, wir vertrieben uns die Zeit und die Müdigkeit mit Gesang, mit möglichst lautem Gesang. Es war nicht ganz einfach, Margery und Jane »Auf einem Baum ein Kuckuck saß« beizubringen, aber es machte Spaß. Und nun was Amerikanisches. Da fiel ihnen nichts anderes ein als »We shall overcome«, eines der schmerzlichen Lieder aus einer hoffnungsvollen Zeit. Jede von uns sah wohl andere Bildfolgen, während wir es sangen, We shall live in peace one day, o yes. Singend und im Mondschein fuhren

wir am Rand der Wüste durch die Nacht, und dann legte
Jane ihre Hand auf meinen Arm, dann brach das Lied ab.
Oh shit! sagte Jane. I think we lost them. – But that's unbe-
lievable, sagte Margery sehr leise, aber wir wußten sofort:
Ja, wir hatten sie wieder verloren, ja, sie mußten an der einzigen Kreuzung auf dieser Straße nach links abgebogen
sein, in Richtung Los Angeles. Also waren wir doch zu
schnell gefahren, und woher hätten sie wissen sollen, daß
sie dem Schild TWENTYSEVEN PALMS GARDEN hätten folgen müssen, niemand hatte es für nötig gehalten,
ihnen das mitzuteilen, und deutsche Gründlichkeit würde
manchen Leuten manchmal ganz gut tun. So irrten sie nun
mit ihrem einen Scheinwerfer durch die Nacht. Alles war
idiotensicher gewesen, aber jeder von uns war ein Idiot, das
sagten wir freimütig zu Toby, der ausgeschickt war, uns zu
suchen und uns am Straßenrand fand, wo wir vorgaben, auf
den weißen Cadillac von Lowis und Bernadette zu warten,
wir Idioten, sagten wir dem erschrockenen Toby, wir Voll-
idioten, und hätten es niemandem geglaubt, daß genau
diese Stelle in unserer Erzählung ein paar Tage später die
größten Lachanfälle auslösen würde. Da standen wir im
Mondschein am Straßenrand und bezichtigten uns selbst,
und besonders du, sagte ich zu Jane, du warst ja ganz zer-
knirscht, du hast dir ja an allem die Schuld gegeben. That's
my way, sagte Jane, als ich ihr ihre Überreaktion vorhielt.
Du auch? dachte ich, und fragte sie: Why? Jane zuckte die
Achseln. May be, I'll tell you later. Vorerst wurde nicht sie,
sondern Therese, die sich ganz still verhielt, zärtlich von
Toby getröstet. Was für schlanke feine Hände er hatte. Wie
sie zu seinem Gesicht paßten.

Natürlich muß ich fürchten, jedermann zu langweilen,
aber ich kann das Folgende unmöglich im Zeitraffer erzäh-

len, denn kein Abschnitt unserer Reise fordert mehr liebe-volle Versenkung ins Detail als der nächste. Wir faßten Ent-schlüsse. Toby würde mit seinem Auto noch eine Weile am Straßenrand warten, für den Fall, daß der weiße Cadillac sich doch noch auf den richtigen Weg verirren sollte. Wir anderen hatten nun, so schnell es uns immer möglich war, nach TWENTYSEVEN PALMS GARDEN zu gelangen. Hier soll die Bemerkung genügen, wie schwierig es war, das Restaurant nach Tobys komplizierter Beschreibung zu fin-den, daß wir es aber mit Glück und Intuition, wenn auch auf halsbrecherischen Wegen und von der Rückseite her, erreichten.

Der Name des Lokals war mit Leuchtstoffröhren blau in den Himmel geschrieben, befriedigend erklären kann ich ihn bis heute nicht. Als wir über einen in jeder Hinsicht fin-steren Hof, vorbei an einem mit Plastikplanen bedeckten, von unten giftgrün angestrahlten Swimmingpool ins Lokal gelangt waren, trafen wir auf eine demoralisierte Susan, zwei endgültig verstummte Paladine und einen schlafenden Hund. Zugegeben, unser Häuflein mußte wie ein verspreng-ter Trupp aus einer verlorenen Schlacht wirken. Thereses linker Fuß war nicht mehr einsatzfähig, sie wurde von Jane und Margery hereingeschleift, während ich diesem trium-phalen Einzug die Türen aufzuhalten hatte. Susan überging Thereses Zustand. Wo war Toby? Wo waren Lowis und Ber-nadette? Als Überbringer der schlechten Nachricht beka-men wir den Lohn: Verachtung. Stumm ließen wir uns an der langen Tafel nieder, die mitten im Lokal für uns reser-viert war, und bemühten uns, die leeren Plätze zu übersehen.

Nun war es fünf vor elf, falls wir wirklich noch essen wollten, sollten wir das jener älteren, kleinen, verhutzelten Frau mitteilen, die ziellos, schien es mir, durch das Lokal huschte und anscheinend die Speisen austrug. Vor unserem Tisch schien sie sich aus irgendeinem Grund zu fürchten, nur Mac mit seinem eindrucksvollen Lockenhaupt hatte einen Draht zu ihr und konnte sie überreden, wenigstens die Speisenkarten an uns auszugeben und Bestellungen für Getränke entgegenzunehmen. Ich hielt den Augenblick für gekommen, meiner Sucht zu folgen und nach einer Margerita zu fragen. Ob sie so etwas hätten. Sure. Ob sie mir eine bringen würde. Certainly.

Natürlich bekam ich niemals eine Margerita, ich bekam ein Bier wie alle, das gute mexikanische Corona Bier, und dagegen war ja auch nichts einzuwenden. Viel schlimmer war, daß Toby allein kam. No Lowis, no Bernadette, nothing. Something seems to be wrong. Das könnt ihr laut sagen. Also wenigstens etwas essen.

Es schien im Plan der Schöpfung nicht vorgesehen, daß die alte Frau, die am Ende ihrer Kräfte war, noch einmal ihre Aufmerksamkeit auf uns lenken sollte. Schlechten Gewissens machten wir ihr Zeichen, die sie übersah, I think we are invisible, sagte Margery. Und warum auch nicht. Eine schöne Geschichte: Eine Gesellschaft betritt eine Gaststätte und wird im gleichen Moment unsichtbar. Wodurch, das müßte man erfinden, was daraus folgte, auch. Aber konnten entmaterialisierte Wesen einen derart wütenden Hunger haben? Da erhoben sich, wie von einer höheren Gewalt gezogen, Ted und Mac und rechtfertigten glanzvoll ihre Existenz: Sie schnitten der Bedienerin den Weg ab, der sie immer in weitem Bogen um unseren Tisch geführt hatte, sie redeten ihr begütigend zu, nahmen sie in die Mitte und führten sie an unseren Tisch, wo sie eine beträchtliche Zeit brauchte, um achtmal die gleiche Bestellung aufzunehmen: Ein kleines Steak, well done, und dazu pommes frites. Schließlich verschwand die Frau hinter der Küchentür, nur um nach zwei Minuten zurückzukommen und die gleichen Fragen zu stellen, die wir ihr geduldig noch einmal beantworteten. Dann kam nicht sie, sondern der Wirt selber, ein kleiner, sehniger, dunkelhäutiger Mexikaner, um sich zu vergewissern, daß hier wirklich acht Leute saßen und noch ein Steak essen wollten, er zählte uns mit den Fingern ab, schien mit dem Ergebnis zufrieden zu sein, sagte: Just a moment! und verschwand in seiner Küche. Später gestanden wir uns, daß keiner von uns Lust gehabt hätte, die in Augenschein zu nehmen. Die ehemals weißen Schürzen der Bedienerin und des Wirtes genügten uns.

Jane, die mir gegenüber saß, hatte noch kein Wort gesprochen, seit wir hier eingezogen waren. How are you, Jane? – Thank you, terrible. – Don't worry. – Why not?

Da stand Susan auf und ließ sich von Toby den Autoschlüssel geben. Sie werde Lowis und Bernadette suchen. Aber das war doch Wahnsinn. Aber sie sollte doch wenigstens noch ihr Steak essen. Oder einen der Männer mitnehmen, die sich natürlich alle drei erhoben hatten. Nein. Nein, Susan würde nicht auf ihr Steak warten. Susan würde allein fahren. Susan würde nachsehen, ob die Vermißten sich bei MENTAL PHYSICS eingefunden hätten. In Susans Gesicht war ein Ausdruck, der keinen Widerspruch zuließ. Sie ging und ließ ein Häufchen schuldbewußter Waisenkinder zurück.

Das kann sie, sagte Margery. Aber sie macht es nicht absichtlich. O doch, sagte Jane. Erst schafft sie verworrene Situationen, dann entschließt sie sich zu einer ebenso verworrenen Handlung und läßt jeden, der nichts tut, als Versager erscheinen. Sieben Versager saßen in der Wärme und warteten auf ihr Essen, und die eine Tatkräftige fuhr hinaus in die kalte Mondnacht. Das braucht sie, sagte Therese. Merkt ihr denn nicht, wie sie das braucht? That's true, sagte Margery. Laßt uns auf Susan trinken.

Wir tranken und warteten und schwiegen. Was konnte man tun. Nun, sagte ich mir, immerhin konnte ich tun, was mir bei einer ganzen Menge von Anfechtungen geholfen hatte: Ich konnte mich gründlich umsehen und mir alles, was ich sah, einprägen, als wollte ich es später beschreiben. Wenn diese Gewohnheit Teil meiner Berufskrankheit ist, so gehört sie jedenfalls zu den milderen Symptomen. Wie hatte ich bisher übersehen können, daß wir mitten in eine Filmkulisse geraten waren. Dieses Lokal, das wir später einen trüben Schuppen nennen würden, repräsentierte den Wilden Westen Amerikas. Vielleicht hatte irgendein von Susan bewirkter Zauber es nur für diese eine Nacht mitten aufs freie Feld an den Rand der Wüste und der großen West-East-Mainroad gesetzt, mit seinen winzigen flackernden Glühbirnen an der Decke, mit seinen rohen Holztischen, an denen ein gewiß sorgfältig ausgesuchtes Filmpersonal saß und vorgab, Bier zu trinken, mit seiner halbrunden Bartheke im Hintergrund, an der eine füllige Blondine bediente, die einen unglaublichen Busen vor den begeisterten Männern in Cowboyhüten auf die Theke legte, weil er jeder anderen Stütze offenbar entbehrte. Bei dieser Frau hätte ich mir meine Margerita holen sollen, aber mir fehlte der Mut, mich zwischen diese Männer zu stellen, die zwar laut und tapsig, aber gutartig waren und es sich gewiß zur Ehre angerechnet hätten, dieser Ausländerin eine echte mexikanische Margerita zu spendieren. Man kann nicht alles haben. Reich wurde ich entschädigt durch die Bildergalerie rundum an den Wänden. Ein und derselbe Künstler

147

bot unterschiedliche Motive an, in einer Malweise verfertigt, die im Dritten Reich für Kunst gegolten hatte, zu Preisen, die er womöglich für moderat hielt. Sich aufbäumende Pferde, die von einem kraftvollen Reiter in buntkariertem Hemd und Jeans gebändigt wurden. Landschaften unter dramatischen Gewitterwolken. Vor allem aber, mir direkt gegenüber, das Porträt eines blonden nordischen Mädchens, auf das nur das fast vergessene Wort »hehr« passen wollte. Hundertfünfzig Dollar. Immerhin.

Jane rief mich an: He, woran denkst du. Ich denke, sagte ich, wir befinden uns mitten in einem Krimi. Okay, sagte sie. Wer ist das Opfer?

Zum Beispiel das lebende Modell für jene Lady, sagte ich und zeigte auf das Bild. Alle blickten das nordische Mädchen an und fanden, die hätte es verdient, umgebracht zu werden. Wer aber sei der Mörder.

Im Zweifelsfalle immer ich, sagte Toby. Wenn er Hunger habe, pflege er jede Frau umzubringen, die ihm über den Weg laufe.

Pervers auch noch, sagte Margery, aber Therese behauptete, sie habe dieses Girl mit ihrem Klumpfuß erschlagen, doch war es zu offensichtlich, daß sie nur Toby decken wollte. Dieser wiederum konnte sich nicht erinnern, wo er die Leiche versteckt hatte. Da sprangen wieder einmal Mac und Ted ein. Ich muß nicht sagen, wie wenig wir gerade das erwartet hatten, wie wenig wir ihnen irgendeine Spur von Humor zugetraut hatten, aber nun begannen sie sich todernst und lebhaft darüber zu streiten, ob das arme Kind zuerst an Macs Strychnin oder an Teds fulminantem Schlag auf ihren Hinterkopf dahingegangen war. Niedrige Beweggründe, ja, die hätten sie allerdings gehabt, ob man ihnen das nicht ansehe. Aber die seien zu intim, um hier ausgebreitet zu werden. Und nach kurzer Beratung einigten sie sich darauf, daß sie die Leiche in den Swimmingpool hinterm Haus geworfen hätten, wo sie nun sicherlich unter der Plastikplane herumschwamm.

Während wir noch diskutierten, ob wir den Aussagen dieser Mordbrüder glauben sollten, kamen die Steaks, etwas zu stark gebraten, aber dafür mit einer Ananasscheibe garniert, es kam eine neue Runde Corona Bier, die Bedienerin, ganz kühn geworden, fragte hoffnungsvoll, ob alles okay sei, und sammelte großzügige und nur halb erlogene Lobsprüche ein. Susan jedenfalls fand eine muntere Runde vor, als sie eintrat. Ich weiß nicht, ob sie hörte, was Margery sagte: Da kommt ja unsere eifersüchtige Schöne, aber ich bin sicher, jeder von uns versuchte bei sich eine neue Geschichte zu konstruieren, in die dieser Satz paßte wie das Schlußteil in ein Puzzle.

Susan hatte keine Spur von Lowis und Bernadette gefunden, sie hatte eine Nachricht an das Hinweisschild von MENTAL PHYSICS gepinnt, in einem Krimi mitzuspielen hatte sie nicht die mindeste Lust, und ihr Steak, das verbrutzelt und beinahe schwarz war, ließ sie stehen. Es war nun kurz nach Mitternacht. Auf einmal war außer uns niemand mehr im Gastraum, und sowohl der mexikanische Wirt als auch die verhuschte Bedienerin und die großbusige Schöne von der Bar zeigten ungeniert den Wunsch zu schließen. In irgendeiner undurchsichtigen Weise schienen sie verwandtschaftlich zusammenzuhängen, und Therese und ich fragten uns beim Rausgehen, ob wir nicht zu voreilig gewesen waren, den Mörder nur in unserem Kreis zu suchen. Ob nicht jedes Mitglied dieser Belegschaft ein gutes halbes Dutzend Motive gehabt haben konnte, das Mädchen aus dem Weg zu räumen. Oder sie alle drei gemeinsam, schlug Therese vor, während sie, auf meinen Arm gestützt, mühsam neben mir herhumpelte.

Draußen empfingen uns der jetzt unbeleuchtete Swimmingpool und der Mond. Ehe wir uns auf die beiden Autos verteilten, gab Toby die verrückte Devise aus, wir sollten auf entgegenkommende Autos mit nur einem Scheinwerfer achten. Ja doch, wenn's dich glücklich macht, sagte Therese, und dann fuhren wir auf der schnurgeraden Straße nach Westen, durch die immer gleichen Ansammlungen von drei, vier Häusern, die sich um eine Tankstelle gruppierten, durch einen größeren Ort, von dessen Hauswänden und Dächern uns geisterhaft die Werbeschriften anstrahlten, PIZZA HUT und SEVEN UP und MC DONALD'S, auch hier konnte man also leben, die Leute schliefen, nur wenige Autos kamen uns entgegen – darunter eines, das ganz eindeutig nur einen Scheinwerfer hatte. Im Rückspiegel sahen wir hinter uns Toby in kühner Kurve die Straße queren. Los! schrien wir. Go ahead!, da war auch Jane schon auf der Gegenseite, da begann die Verfolgungsjagd. Nun war es klar, wo wir das Mörderpärchen zu suchen hatten. MC DONALD'S, SEVEN UP, PIZZA HUT, wieder flog die Werbung an uns vorbei, der weiße Cadillac wollte sich nicht ohne weiteres ergeben, aber er war ein Typ älterer Bauart, das traf sich gut, schon überholte ihn Toby mit blinkender Lichthupe, schon setzten wir uns hinter ihn und zwangen ihn schließlich zu halten. Ach, ihr seid das, sagten Lowis und Bernadette. Wir dachten schon, wieder die Polizei. Allerdings, sagten wir. Mordkommission. Gestehen Sie den Mord an dem Mädchen. Leugnen ist zwecklos.

Mir ist bewußt, daß mir niemand diese story glauben kann. Ich gebe aber zu bedenken, daß unser aller Phantasie, zusammengetan, nicht ausgereicht hätte, sie zu erfinden. Soviel in Kürze: Nachdem die beiden, wie wir es uns gedacht hatten, an der Kreuzung falsch abgebogen waren, hatte natürlich die Verkehrspolizei ihr Auto wegen des fehlenden Scheinwerfers aufgebracht und sie zur Polizeistation gelotst, wo sie alle ihre Papiere vorlegten, einen Kaffee bekamen und mit der Ermahnung entlassen wurden, nicht etwa noch eine weitere Nacht mit dem Scheinwerferdefekt zu fahren, der sich nicht so leicht beheben ließ. Und den Namen des Restaurants, in dem sie sicher ihre Freunde finden würden, hatte man ihnen auch genannt. Na? fragten wir ungläubig. Twentyseven Palms Garden, sagten beide. Und dahin seien sie nun, nachdem sie sich noch mehrmals verfahren und allerdings auch ein Sandwich gegessen hatten, mit immer noch unerschüttertem Vertrauen unterwegs. Siehst du, sagte Therese leise zu mir. Das ist Kalifornien. Verstehst du jetzt, was ich meine.

In stolzer Dreierkolonne gelangten wir um ein Uhr nachts auf das Gelände von MENTAL PHYSICS und erfuhren von der ganz veränderten Susan, daß wir jetzt, um diesen schönen Abend gebührend ausklingen zu lassen, ein Lagerfeuer entzünden würden. Alle Vorrichtungen waren in dieser idealen Unterkunft vorhanden, die einem Camp eher glich als einer bürgerlichen Herberge, im treuen Mondlicht fanden wir die Sandkuhle, an deren Grund ein Steinring mit schwarzer Asche war und deren Rand einen natürlichen Sitzkreis bildete. Trockenes Holz fand sich im Gelände, Mac und Ted schienen passionierte Feuerwerker zu sein, in weniger als zehn Minuten prasselte das kleine Vor-Feuer, aus dem sich mit Hilfe kunstvoll geschichteter Holzscheite das eigentliche Lagerfeuer schnell entwickelte. Rotwein war auch noch da. Bis heute begreife ich nicht, warum unsere Stimmung, anstatt mit dem Feuer aufzuschießen, nach einem übermütigen Anfang in sich zusammensackte, denn daß wir müde waren, reicht als Erklärung nicht. Vielleicht erschienen uns Susans Versuche, die Lustigkeit anzufachen, übertrieben. Vielleicht riß das Band, das uns zusammengehalten hatte, und wir fielen in eine Vereinzelung zurück, in der uns das Hochgefühl des Tages wie eine klägliche Selbsttäuschung vorkam. Zwar saß Therese an Toby gelehnt und hatte ihr schmerzendes Bein auf eine Kissenrolle gebettet, aber ihrer beider Haltung wirkte gezwungen. Ich argwöhnte, Toby habe endlich den Mut gefunden, ihr zu sagen, daß er es in der Stadt nicht mehr aushielt. Daß seine Wohnung schon leergeräumt war. Daß er auch seine kunstvoll aus feinen Hölzchen gearbeiteten Hausmodelle, nach denen niemand bauen wollte, in Kartons gepackt und bei Freunden untergestellt hatte. Daß es ihn nach Mexiko zog, wo er wieder einmal einen neuen Anfang versuchen wollte.

Die Marshmallows, die Margery auf Stöckchen steckte und ins Feuer hielt, verbrannten und schmeckten über die Maßen abscheulich, Susan konnte sich die Bemerkung nicht verkneifen, daß sie sich Margery nicht als Wirtin eines mexikanischen Restaurants vorstellen konnte, weder in Berlin noch sonstwo. Wir schwiegen. Ein Überdruß breitete sich aus, den wir voreinander zu verbergen suchten. Ich war in Janes Anblick versunken. Ihr kraftvolles Profil vor dem Feuer, ihre blonde Mähne, in Schlangenwindungen gekräuselt, ihre kräftige Figur, die vertrauenerweckenden Hände. Sie fing meinen Blick auf und setzte sich zu mir, außerhalb des Lichtkreises. How are you? sagte Jane. Ich fragte: Heute? Oder überhaupt? Ich weiß nicht, wie es mir geht. Mir ist, als sondere ich ein Ferment ab, daß alle Gewißheiten zersetzt, wenn ich mich ihnen nähere. Jane lächelte. Hast du etwas dagegen, wenn ich dich fotografiere. Ich habe auf einmal wieder Lust dazu.

Nicht sie, Margery hatte mir von ihren jüdischen Eltern erzählt.

Woran denkst du? fragte Jane.

An deine Eltern, sagte ich. Sie schwieg.

Mein Vater, sagte sie dann, hat vor dem Krieg schon eine Familie gehabt, eine Frau und zwei Kinder. Die haben das Lager nicht überlebt. Nach dem Krieg hat er in einem Sammellager meine Mutter getroffen. Sie sind zusammengeblieben. Mein Vater hat sich immer schuldig gefühlt. Ich habe immer gedacht, daß er in mir seine tote erste Tochter gesucht hat. Er hat mich nicht annehmen können. Mühsam habe ich lernen müssen, daß ich es verdiene zu leben. Sichtbar zu sein. Die Fotografie hat mir dabei geholfen.

Ich ging.

In meinem Zimmer immer noch diese Grabeskälte. Die elektrische Wärmedecke funktionierte natürlich nicht. Um meine Gedanken nicht hören zu müssen, sprach ich laut mit mir selbst in unflätigen Wörtern über die Mängel des Quartiers. Ich breitete die dünne Decke des zweiten Bettes über meine eigene dünne Decke und legte meine Lederjacke darüber. Ich wusch mich flüchtig und vermied den Blick in den Spiegel. Zitternd kroch ich unter meine Decken. Jetzt bin ich aber müde, sagte ich beschwörend zu mir selbst. Jetzt will ich aber wirklich nichts als schlafen. Ich hörte mich denken: Trostlos. Trostlos das Ganze. Ich schlief sofort ein.

Nachts kam ungerufen wieder die Begleiterin meiner Träume, Angelina, die schwarze Frau, die in meinem Hotel die Zimmer saubermachte. Sie bewegte sich mit mir durch Berlin, das ihr genauso vertraut zu sein schien wie Los Angeles. Zwielicht, November. Die Szene kommt mir bekannt vor. Kerzen brennen, die viele Menschen in den Händen tragen, sie rufen rhythmisch: Kei-ne Ge-walt! Es ist der erfüllte Augenblick, ich weiß es sogar im Traum. Nur scheint jene Schaltstelle in meinem Kopf, die den Herzrhythmus reguliert, nicht zwischen den verschiedenen Arten von Streß unterscheiden zu können, der Rhythmus entgleist, das Herz rast.

Ich hatte Angst, tastete um mich, wußte nicht, wie mein Bett stand, wo ein Lichtschalter zu finden wäre, brauchte Minuten, um mich zu orientieren, ertastete endlich die Lampe über dem Bett, schaltete sie an. Vier Uhr. Meine Lederjacke war vom Bett gerutscht, ich fror. Das Herz wollte nicht aufhören zu rasen. Hier gab es weder ein Telefon noch einen Arzt, ich mußte mir selber helfen. Ich probierte alle Tricks aus, die ich kannte, umsonst. Ich verbot mir, mich aufzuregen. Es ist unangenehm, aber daran stirbt man nicht. Ich werde nicht weiter darauf achten. Ich werde mich auf die rechte Seite legen, die Decken um mich feststopfen und mein Herz zu überlisten suchen. Na gut, sagte ich zu ihm. Mach du, was du willst, ich jedenfalls schlafe. Gleich fühlte ich mich besser, mir wurde warm. Ich schlief ein.

Ein grandioser Morgen. Als ich in die Sonne trat, früh um acht, saßen die meisten von uns schon auf dem Rand der Feuerstelle und tranken Kaffee aus Riesenbechern, die Therese und Toby geholt hatten. Margery brachte Grapefruits, ich Kekse, ein veritables Frühstück. Wir erzählten uns unsere Träume und ließen aus, was wir nicht erzählen wollten. Jane sagte gar nichts. Wir würden noch einmal an den Ort zurückkehren, den wir gestern im Dunkeln besucht hatten. Würden die Palmenoase heute sehen. Würden in ihrer feuchten Kühle Rast machen. Würden wieder auf Susan, die beiden erneut verstummten Paladine und den verrückten Hund Rolly warten müssen. Bevor aber dies alles geschehen konnte, mußten Lowis und Bernadette uns mit ihrem Erscheinen beglücken, aber das taten sie nicht, und es fand sich niemand, der den traurigen Mut gehabt hätte, sie zu wecken. Ich schwor mir, daß ich nie wieder auf einen Trip gehen würde, an dem diese beiden teilnahmen, und auf der Rückfahrt gaben Jane und Margery zu, sich dasselbe geschworen zu haben. Therese hatte sich wegen ihres bösen Fußes in den größeren Wagen zu Toby setzen können, und Susan war ohne ein Wort zu Lowis und Bernadette ins Auto geschlüpft, die ausgeschlafen und glücklich und mit dem besten Gewissen der Welt zur Feuerstelle gekommen waren, unsere Andeutungen und vorwurfsvollen Mienen nicht einmal verstanden und ohne zu fragen die letzten Bananen aßen. Immerhin hatten wir die Genugtuung, daß Rolly der Hund sie ausdauernd verbellte, bis Bernadette sich zu ihm hinunterbeugte, ihr langes blauschwarzes Haar auf die Erde fallen ließ und den Hund streichelte, woraufhin der sich auf den Rücken rollte, alle viere von sich streckte und sich das Bauchfell kraulen ließ.

Der Anblick war umwerfend, sagte Jane, auch Margery gab es zu. Man konnte Lowis verstehen. War nicht überhaupt er es gewesen, der diesen Mondscheinausflug aufgebracht hatte? Wißt ihr noch, als wir in der Sonntagsglut, die uns wie eine Keule getroffen hatte, nach dem Gottesdienst in der schwarzen Gemeinde aus unseren Autos gekrochen und beinahe verdurstet eine dieser endlosen Straßen langgeschlichen waren? Wie da plötzlich, wie von Susan herbeigehext, ein blaues Türchen in der flimmernden weißen Mauer aufgetaucht war? Das kleine italienische Restaurant, der schattige Hof, als wir eintraten? Eistee, ein Labsal, wie durch Zauberhand vor uns auf den Tisch gestellt?

Wir erinnerten uns. Wie könnte man das vergessen. Aber wußten wir auch noch, was wir gesprochen hatten? Gespräche schienen aus dem allerflüchtigsten Stoff zu sein, flüchtiger noch als manche Gedanken. Wir hatten über Gott und die Welt geredet. Oder genauer: über Gott und den Teufel. Wann sich des Menschen Tun und Denken in »Gut« und »Böse« aufgespalten habe. So daß er Opfer gebraucht habe, Menschenopfer. Die Frage war von Jane gekommen. Und war es nicht Toby gewesen, der wissen wollte, wie man denn in unseren aufgeklärten Zeiten das begeisterte Opfer so vieler junger Männer erklären sollte, für ein Phantom, das sie Vaterland nennen? Ja, Toby, sagte Margery. Wußtet ihr, daß er im Vietnamkrieg den Wehrdienst verweigert hat? Und Lowis? Der grauhaarige Philosoph? Der plötzlich ganz wild wurde? Der sich Eurokommunist nannte und das Vorrücken des Kapitalismus auf der ganzen Welt beklagte?

Dich hab ich an dem Nachmittag zum erstenmal gesehen, sagte ich zu Jane.

Toby wollte einen versteckten Sinn darin sehen, daß immer die materiellen Werte über die geistigen siegen. Ob uns die Geschichte dadurch nicht eine Botschaft übermitteln wolle, die wir nicht bereit seien zu verstehen. Susan aber, nach mir die Älteste in dem Kreis, mit dem heftigen Bestreben, jung zu sein und dazuzugehören, Susan meinte, wir hätten gut reden. Gehörten wir nicht zu jenem Bruchteil der Menschheit, der ein gutes Leben führe, gerade auch materiell. Und wie könnten wir über die Bedürfnisse der großen Masse von Menschen urteilen, die sich wünschten, was wir schon hätten? Meinten wir nicht, daß der Mensch genetisch sowieso auf materielle Werte programmiert sei?

Wahrhaftig, das hatte sie gesagt, Susan, und jetzt fiel uns auch wieder ein, wie aus dem Tumult, der auf diese Frage folgte, aus dem Gelächter und Geschrei plötzlich ihre Idee fix und fertig geboren wurde: Sie, Susan, wollte mit uns allen beim nächsten Vollmond in die Wüste fahren.

So war es gewesen, versicherten wir uns. Dann schwiegen wir, müde. Vor uns endlich Los Angeles unter seiner Smogglocke. Am Abend riefen wir uns gegenseitig an und teilten uns mit, daß wir Kopfschmerzen hatten. Susan aber fragte, ob wir es sehr shocking gefunden hätten, daß nicht alles ganz so geklappt hatte, wie wir es uns vorgestellt haben mochten. Wir sagten: Aber nein. Es war doch alles okay. Wir haben es sehr genossen.

Wirklich? sagte Susan. Dann könnten wir doch bald zusammen auf die Insel Catalina fahren.

Von Kassandra zu Medea

Häufig – oft im Zusammenhang mit meinem letzten Buch »Medea« – werden mir Selbstinterpretationen abverlangt, besonders von Literaturwissenschaftlerinnen und Literaturwissenschaftlern, denen man kaum eine größere Freude machen kann, als wenn man ihnen derartiges Material liefert, auf das sie sich begeistert stürzen, um es nach einem schwer durchschaubaren Verarbeitungsprozeß nun ihrerseits wieder zu interpretieren. Dies ist ein Spiel, ein Gesellschaftsspiel und, soweit ich sehe, eines der harmloseren, unschädlicheren, das allerdings viel häufiger lustvoll sein könnte, wenn wir, seine Mitspieler, nicht immer wieder vergessen würden, daß wir spielen – was allerdings in Deutschland leicht für ehrenrührig gilt. »Ernst ist das Leben, heiter ist die Kunst« – der Wahlspruch ist uns entglitten, die Bedeutungen scheinen sich verkehrt zu haben, das »weite Feld« der Kunst, des Erzählens zumal, des Fabulierens, ist zum Kampffeld geworden, Hauen und Stechen ist angesagt, als werde auf diesem Feld die für den einzelnen und für ganze Gruppen allerdings entscheidende Frage ausgetragen, was er, was sie wert sind. Und wenn es gelänge, so scheint es weiter, der einen Gruppe ihren Wert in der Vergangenheit abzusprechen, dann würde sich, merkwürdigerweise, der Wert der anderen um genausoviel erhöhen, wie der der einen gesunken ist. »Vergangenheitsbewältigung« – ein deutsches Wort. Ich weiß nicht, ob es überhaupt in eine andere Sprache zu übersetzen ist.

Manchmal hilft es ja, Hunderte von Kilometern wegzufahren oder Hunderte von Jahren zurückzugehen, in eine Vergangenheit, die wir nur durch Sagen und Mythen kennen, um zu sehen, was man da findet – ohne sich darüber zu täuschen, daß man sein Reisegepäck immer bei sich haben, nie loswerden wird: sich selbst. Wohin man auch greifen wird auf dem scheinbar so »freien« Markt der Stoffe und Motive – es bleibt einem nur etwas im Kopf, in der Hand hängen, was diesen Kopf betrifft, wofür diese Hand gebildet ist. Als ich das erstemal auf den Mythos stieß – das war Anfang der achtziger Jahre, der Mythos hieß »Kassandra« –, erfuhr ich die Vorzüge dieses Fundes: Eine Gestalt ist da, die sich in einem Rahmen bewegt, an den man sich zu halten hat, in dem aber, wenn man sich nur tief genug darauf einläßt, ungeahnte Freiräume sich eröffnen: zu entdecken, heraufzuholen, zu deuten, zu erfinden. Den heutigen Blick auf die uralte Geschichte zu richten. Sich aus der Tiefe der Zeit von uralten Figuren anblicken, anrühren zu lassen.

Goethe meinte, niemand könne seiner Zeit wirklich gerecht werden, der nicht den Zeitraum von 3 000 Jahren gegenwärtig habe. Er hat zum Teil andere Fragen an die Antike gestellt, als wir Heutigen sie an die Vor-Zeit stellen: denn sowohl die Kassandra als auch die Medea sind Frauengestalten aus einer Zeit, die die Schrift noch nicht kannte, überliefert in später aufgeschriebenen Sagenkreisen, aufgenommen, vielfach umgedeutet und verändert in der großen Literatur der griechischen und römischen Klassik. Mich faszinierte der Versuch, all diesen Überlieferungen auf den Grund zu kommen, soweit dies überhaupt möglich ist – nicht in der Art der Wissenschaft, sondern als Literatin, mit Imagination und Phantasie, die allerdings gespeist wurden durch weitestmögliche Kenntnis der Lebensumstände dieser Figuren. Denn es ist ja nicht wahr, was dennoch viele glauben, daß man um so »freier« erfinden kann, je weniger man weiß. Erst die Vielzahl der Quellen, die ich in diesem vorgeschichtlichen Gelände als besonders anregend, ja: aufregend, aufschlußreich und beglückend empfinde, trägt einem die Vielzahl der möglichen Varianten einer Geschichte zu – die Quellen selbst spielen, wenn auch nicht willkürlich, mit diesen Varianten –, stellt einen dann allerdings vor die Qual der Wahl, die begrenzt und eingeschränkt wird durch den Vorsatz, ich würde sagen: die Notwendigkeit, selbst auch nicht willkürlich zu sein. Zu finden, was niemals war, vielleicht auch niemals so gewünscht oder vorgestellt wurde, was aber, wenn man das Glück hat, richtige, produktive Fragen zu stellen, aus der Tiefe der Zeit wie von selbst erscheint, ein Kunstgebilde natürlich – ja, manchmal gehen die zwei scheinbar entgegengesetzten Wörter zusammen –, das sich in einer durchschaubaren Struktur um die zentrale Frage ordnet, wie Eisenspäne um einen Magneten.

Die Frage, die ich mir stellte, als ich mich dem Kassandra-Stoff näherte – das war zu Beginn der achtziger Jahre, zu beiden Seiten der deutsch-deutschen Grenze wurden Mittelstreckenraketen aufgestellt, ein Atomkrieg in Mitteleuropa war strategisch vorkalkuliert und wurde allen Ernstes als mögliche »Lösung« der Spannungen zwischen den beiden Blöcken gedacht –, die Frage war: Wann und wodurch ist dieser selbstzerstörerische Zug in das abendländische Denken, in die abendländische Praxis gekommen. Es wird einleuchten, daß diese Frage mich immer weiter zurückführte, ins klassische Altertum, das eine Fülle von Spiegelungen der alten Mythen bietet, und dann, in einem

entschlossenen Sprung über die Schrift- und Geschichts-
grenze hinweg, in die Vor-Geschichte, dorthin, wo nichts
aufgeschrieben werden konnte, wo aber gehandelt, gedacht,
erlebt und erzählt wurde, in einer Weise, die uns zugleich
fremd, also fragwürdig, und vertraut erscheint: die besten
Voraussetzungen für einen erstaunten Autor, noch bessere
vielleicht für eine von dem Reichtum, der Schönheit und
der Fülle des Materials bezauberte Autorin, die nicht
umhin konnte und kann, jeden Gang in die Tiefe der Zeit
als einen Gang zu den Müttern zu unternehmen, belehrt,
daß das, was wir durch die männliche Überlieferung erfahren haben, nicht zwingend »die Wahrheit« sein muß. Denn
wir sehen nur, was wir wissen und wissen wollen, und
ahnen, meist tief im Unbewußten, was wir gebrauchen
können, was uns nützt.

Die alten griechischen Autoren und Denker hatten zu
dem bewundernswerten Phänomen beizutragen, das wir
heute »klassisches Altertum« nennen, ein unerschöpflicher
Brunnen, aus dem das Abendland seitdem sich speist: mit
Ideen, Kunstmaximen, Staatstheorien, mit Philosophie
und der großen Utopie von Demokratie. Ein Menschenbild
wurde da geschaffen, das seinen Reiz und seine Ausstrah-
lung über die Jahrtausende nicht verlor, vielleicht auch deshalb, weil man nicht wußte oder nicht wahrnehmen wollte,
wieviel man ausgrenzen, auf wie vieles man verzichten, von
wie vielem man sich abstoßen mußte, um sich dem Ideal des
Polis-Bürgers von Athen zu nähern: die Frauen sowieso,
die Dienstboten, die Sklaven selbstverständlich, aber auch
alle Fremden, die »Barbaren«, und in einem sehr langen,
schwierigen und gewaltreichen vorgeschichtlichen Prozeß
die Urbevölkerung jener Gebiete um das Mittelmeer, die
schon jahrhundertelang dort gelebt, das Land bebaut,

Viehzucht getrieben, Gesellschaftsstrukturen gefunden, Staaten gegründet hatten, ehe zum Beispiel die Achaer mit ihrer überlegenen Flotte die Troer besiegten und, wie Homer es rühmt, ihre Männer erschlugen, ihre Frauen in Besitz nahmen und, nicht zuletzt, würden wir heute sagen, das Monopol über ihre Geschichte, über ihre Sagen und Mythen errangen: Sie hatten es nun in der Hand, ob und wie diese Geschichten weitererzählt, umgeformt, umgedeutet und in die Geschichte der immer stärker sich herausbildenden gesellschaftlichen Hierarchie, der immer mehr sich verfestigenden Eigentumsverhältnisse und der dazu zwingend notwendigen Denk- und Wertekategorien des nicht zuletzt dadurch immer unangefochtener herrschenden Patriarchats eingebaut und aufgehoben wurden. Als man nicht voraussehen konnte, wohin diese Anfänge in unserer Zeit führen würden, in der sich diese tief in uns verwurzelten Werte mit dem rasenden technischen Fortschritt der Neuzeit verbunden haben: in eine Art von Wahndenken, das manchen von uns, auch mir, in den achtziger Jahren die Kehle zuschnürte. Waren wir so gemacht, daß kein Weg an der drohenden Selbstzerstörung vorbeiführte?

Kassandra also. Sie erhielt die Sehergabe vom Gott Apollon, so hören wir, er will sich aber ihrer bemächtigen, sie wehrt sich, der Gott spuckt ihr in den Mund: Sie wird sehen, was geschehen soll, aber keiner wird ihr glauben. Nun kann man und frau zu fragen beginnen. Wieso gibt ein männlicher Gott die Sehergabe an eine Frau, wo doch in den frühesten Zeiten nur Frauen Göttinnen, nur Frauen Priesterinnen und Seherinnen waren? Eine tiefgreifende Umwälzung der Produktions-, Lebens-, Verwandtschaftsverhältnisse hatte stattgefunden, über Hunderte, vielleicht Tausende von Jahren, die Frauen, einst gleichgestellt, waren in eine untergeordnete Stellung geraten, ihre Sexualität war verdinglicht worden, was alles es erst möglich machte, daß ein Mann versucht, eine Frau zu vergewaltigen – und sei es ein männlicher Gott. Und daß die Frau die Sehergabe mit dem entscheidenden Vorbehalt bekommt: Niemand wird ihr glauben. Mich berührte, als ich sie verstand, diese tiefe Metapher über das Schicksal von Frauen in den letzten Jahrtausenden. Der oder die liest den Mythos anders, der oder die in ihm eine komplizierte, doch aufschlüsselbare geistige Verarbeitung ungeheurer gesellschaftlicher Prozesse in der Vorzeit sieht, eine grandiose Form, die Verwandlung von Jäger- und Sammler-Horden über ackerbautreibende Stämme hin zu den hierarchisch strukturierten archaischen Stadtstaaten mit ihren je anderen magischen Weltbildern zu spiegeln.

Eine Jahrtausendzeit, in der die ehrfurchtgebietenden Erd- und Fruchtbarkeitsgöttinnen von männlichen Göttern, schließlich vom Götterhimmel des griechischen Olymp abgelöst wurden; aber diese oft gewaltsame Ablösung geistert in und hinter den Geschichten des Mythos weiter, wenn man den Schleier der Rationalisierungen wegzieht, blickt man tief in die wirklichen Verhältnisse. Frauenraub, eine frühe Praxis, um den eigenen Stamm lebensfähig zu erhalten, steckt noch hinter den Heldenepen des Homer, auch hinter denen des Trojanischen Krieges. Die ersten Sklaven waren lange Zeit Frauen, Kassandra und ihre trojanischen Schwestern, die nach Mykene, in die Burg des siegreichen Agamemnon, verschleppt werden, fügen sich in dieses Muster ein. Die Motive der archaischen Kämpfer, die Troja belagern, schienen mir nicht grundsätzlich verschieden zu sein von denen unserer Raketenvergötterer. Ich konnte, so dachte ich, von diesen Motiven der Machterhaltung etwas aufdecken, wenn ich mich in die Strukturen einer Stadt wie Troja versenkte und – meine eigene Erfahrung nutzend – den Weg der Erkenntnis nachzeichnete, den eine Frau wie Kassandra gehen muß, die allmählich das destruktive Wesen ihrer eigenen Stadt durchschaut.

Die Aufnahme des Buches in Ost- und Westdeutschland hat gezeigt, daß die jeweiligen Leserinnen und Leser ihre eigene Gesellschaft scharf kritisiert fanden – was nicht erstaunlich ist, weil die ost- wie die westdeutsche Gesellschaft bei all ihren Unterschieden doch eine grundlegende Gemeinsamkeit hatten: Ihr Ziel war es, soviel wie möglich und auf immer schnellere und perfektere Weise zu produzieren. Die Leere, die dieses rein äußerliche Ziel in der Mitte erzeugen muß, die Aushöhlung der ehemals mit Sinn erfüllten Ideale, die nur noch als Schemen in verkrusteten Institutionen ein Pseudo-Dasein fristeten, haben kritische Menschen in ihrer eigenen Gemeinschaft sehr wohl wahrgenommen. Und es war nicht schwer zu erkennen, daß diese Leere Aggressivität erzeugen muß.

In diesem Sinne, als Modell, das offen genug ist, um eigene Erfahrung aus der Gegenwart aufzunehmen, das einen Abstand ermöglicht, den sonst oft nur die Zeit bringt, dessen Erzählungen fast märchenhaft, sehr reizvoll und doch so wirklichkeitsgesättigt sind, daß wir Heutige uns in den Verhaltensweisen seiner handelnden Personen erkennen können – in diesem Sinne scheint mir der Mythos brauchbar zu sein für den heutigen Erzähler, die heutige Erzählerin. Er kann uns helfen, uns in unserer Zeit neu zu sehen, er hebt Züge hervor, die wir nicht bemerken wollen, und enthebt uns der Alltagstrivialität. Er erzwingt auf besondere Weise die Frage nach dem Humanum, um die es ja, glaube ich, bei allem Erzählen geht.

Zum Beispiel die Frage: Warum brauchen wir Menschenopfer. Warum brauchen wir immer noch und immer wieder
Sündenböcke. In den letzten Jahren, nach der so genannten
»Wende« in Deutschland, die dazu führte, daß die DDR
von der Bühne der Geschichte verschwand, sah ich Grund,
über diese Fragen nachzudenken. Seit dem Juni 1991 finde
ich bei mir Notizen über die Figur der Medea, eine Gestalt,
die aus dem aktuellen, für mich sehr aufwühlenden, von wi-
derstreitenden, entgegengesetzten Gefühlen und Überlegungen besetzten Zusammenhang wie von selbst hervortrat
und sich allmählich vor andere, ältere Schreibpläne schob.
Ich kannte, wie alle, die ich fragte, die »Medea« des Euripides, die Barbarin aus dem Osten, die, in Liebe entbrannt
zu dem Argonauten Jason, diesem hilft, das Goldene Vlies
zu stehlen, dessentwegen er in ihre Heimat Kolchis am
Schwarzen Meer gekommen ist, dem östlichen Rand der
den alten Mittelmeervölkern bekannten Welt, und mit ihm
flieht, nach Irrfahrten in Korinth landet, dem westlichsten
Punkt des Mittelmeeres. Dort wendet sich Jason der Tochter des Königs Kreon zu, will sie heiraten, Medea wird aus
der Stadt verbannt. Sie aber bringt, so erzählt Euripides,
rasend vor Eifersucht und gekränktem Stolz, die Königs-
stochter um, dann ihre eigenen Kinder.
   Das konnte ich nicht glauben. Eine Heilerin, Zauberkun-
dige, die aus sehr alten Schichten des Mythos hervorgegan-
gen sein mußte, aus Zeiten, da Kinder das höchste Gut
eines Stammes waren und Mütter, eben wegen ihrer Fähigkeit, den Stamm fortzupflanzen, hoch geachtet – die sollte
ihre Kinder umbringen? – Wie immer, wenn man konzen-
triert mit einer Frage beschäftigt ist, hilft einem der Zufall;
mir verhalf er zu der Verbindung mit einer Altertumswis-
senschaftlerin in Basel, die unter anderem den Medea-Sar-

kophag des dortigen Museums betreut und mir den von ihr
geschriebenen Medea-Artikel aus dem »Lexicon Iconigra-
phicum Mythologiae Classicae« (LIMC) zuschickte, aus
dem hervorgeht, daß erst Euripides der Medea den Kinder-
mord zuschreibt, während andere, frühere Quellen Ret-
tungsversuche der Medea für die Kinder schildern, unter
anderem, indem sie die Kinder ins Heiligtum der Hera
bringt, »wo sie sie geschützt glaubt, doch die Korinther
töten sie«: Ich war erleichtert, daß ich diese Veränderung
der über die Jahrtausende als Kindsmörderin ins abendländische Bewußtsein eingegrabenen Gestalt nicht zu erfinden
brauchte – obwohl natürlich eine Reihe von Kritikern voraussetzt, ich hätte das getan.

Medea, deren Namen bedeutet »die guten Rat Wis-
sende«, von der manche Quellen glauben, daß sie göttlichen
Ursprungs war und im Verlauf der Degradierung der Göttinnen auf die Erde versetzt wurde, als Heilerin, Magierin
– Medea erscheint mir als besonders eindrucksvolles Beispiel für die Umwertung der Werte bei der Herausbildung
unserer Zivilisation aus vorzivilisierten Gesellschaften, die
dahin geführt hat, daß nicht das Leben, also Entfaltung
menschlicher Möglichkeiten, in ihr Zentrum gerückt ist,
sondern die Faszination durch den Tod und durch tote
Dinge, selbstverständlich verbunden mit dem Ziel der Fort-
pflanzung ohne den Umweg über den Mutterleib. Dies war
früh schon eine Männerphantasie. Euripides läßt den Jason
sagen: »Gäb es andre Geburt, ganz ohne die Frau, / Wie
glücklich wäre das Leben!«

Diese durch männliche Bedürfnisse und Werte immer
stärker definierte Kultur, die übrigens eine Angst vor dem
Weiblichen, vor der Frau entwickelte, brauchte das Bild
der wilden, bösen, von ungezähmten Trieben beherrschten

Frau, der schwarzen Zauberin, der Hexe. Wir kennen ganz gegenwärtige Beispiele von außerordentlichem Medien-Interesse immer dann, wenn eine Frau verdächtigt wird, ihre Kinder umgebracht zu haben – ein Delikt, das immer noch als das Widernatürlichste gilt, was ein Mensch tun kann und, mehr als jedes andere, Abscheu weckt, ohne zugleich Abscheu zu wecken vor den Verhältnissen, die heutzutage Frauen zu dieser widernatürlichsten Tat treiben können. Medea stand mir von Anfang an als eine Frau auf der Grenze zwischen zwei Wertesystemen vor Augen, verkörpert durch ihre Heimat Kolchis und ihren Fluchtort Korinth – eine Grenze, die leicht zum Abgrund werden kann, wenn die Betroffene nicht bereit oder nicht fähig ist, sich den neuen Verhältnissen anzupassen, die sich als die überlegenen, fortgeschritteneren verstehen, was nicht heißen muß, daß sie die humaneren sind. Die Frage nach dem Maß dieses Humanen wurde mir immer mehr zum Leitfaden für meine Figur und meine Erzählung. Das reiche, goldene Korinth erträgt die hochgemute, selbstbewußte, fähige Heilerin nicht, die dem Verbrechen nachspürt, auf das auch diese Stadt gegründet ist. Menschen werden dem Götzen Macht und dem Goldenen Kalb geopfert. Die Frau muß verleumdet, gedemütigt, demontiert, gejagt, vernichtet werden. In die Zukunft hinein muß ihr Ruf als Kindsmörderin befestigt werden. Die Mörder der Kinder gedenken ihrer Opfer in einem heuchlerischen Kult. Ein Versuch, den mörderischen Verhältnissen durch Einsicht, Aufklärung, Verhaltensänderung beizukommen, ist abgewehrt. Die Geschichte nimmt ihren Lauf.

Die Literatur darf ihre verschiedenen Möglichkeiten durchspielen. Den Mitspielern bleibt es überlassen, welche ihnen einleuchtet. Soll, in der leeren Mitte des Labyrinths, unangefochten der Minotauros herrschen? Wird da immer eine Ariadne sein, die dem männlichen Menschen, der das Ungeheuer besiegt – nicht zuletzt in sich selbst –, jenen Lebensfaden in die Hand gibt, an dem er sich aus der Finsternis heraustasten kann? Finden wir nicht diese Konstellation am Grund vieler zeitgenössischer Geschichten – trivialer und nicht trivialer? Das glückliche Ende ist zum »happy end« verkommen, doch mir scheint, im Mythos und in der Literatur, die von ihm herkommt, ist die nicht triviale Sehnsucht von uns allen gut aufgehoben, gemeinsam einen Ausweg aus dem Labyrinth zu suchen und ihn, vielleicht, zu finden, auch wenn der Zeitgeist heute etwas anderes sagt.

Mit dem absoluten Sinn für Toleranz

Totenrede für Lew Kopelew

Lew Kopelew werde ich immer lebendig vor mir sehen, an den verschiedenen Orten, an denen wir ihn seit über dreißig Jahren getroffen haben. In seiner Moskauer Wohnung natürlich, wie er dem Telefon, das auf dem Fußboden stand, einen Tritt versetzt: Du kleiner Verräter! In den Moskauer Straßen neben uns hergehend, uns *seine* Topographie der Stadt erklärend. In dem Atelier des Malers Boris Birger, eines der unzähligen Freunde Lews, die als Künstler ins Abseits gedrängt waren. In der Wohnung seiner Tochter, hinter einem berühmten Gebäude der Gorkistraße – sein Schwiegersohn war nach seinem Protest gegen den Einmarsch der Warschauer-Pakt-Truppen in Prag gerade aus dem Gefängnis gekommen –, wo ich Angehörige von Lews Familie und Freunde zum erstenmal von Emigration sprechen hörte. Meine Familie ist über die ganze Welt verstreut, sagte er jedesmal traurig, wenn ich ihn in den letzten Jahren sah, in Hamburg, in seiner Kölner Wohnung, auf Ausstellungen, in Theatersälen, in Berlin.

Ich habe ihn 1965 bei Anna Seghers kennengelernt, die er verehrte (er hat sich ja bis ins hohe Alter eine fast ehrfürchtige Bewunderung für Kunst und Künstler bewahrt). Sie stritten sich an jenem Abend scharf. Es ging um Ilja Ehrenburgs Flugblätter im Zweiten Weltkrieg, Anna Seghers verteidigte den Freund, der ihr, als sie in Paris in Gefahr war, geholfen hatte, Lew Kopelew kritisierte ihn. Damals wußte ich noch nicht, daß er wegen »bürgerlich-humanistischer

Propaganda« – das heißt wegen seiner Kritik an Gewalttaten der Roten Armee gegen die deutsche Zivilbevölkerung am Ende des Zweiten Weltkriegs – zu vielen Jahren Lagerhaft verurteilt war. Anna Seghers und Lew Kopelew haben sich am Ende fest umarmt. Später hat er mich daran erinnert, daß ich ihm danach, als wir im Auto durch Ostberliner Vororte fuhren, von meinen Zweifeln und Konflikten erzählt habe. Er hatte also von Anfang an mein Vertrauen gewonnen. Am Steuer saß übrigens ein Mann, der zu jenen Wehrmachtsoffizieren gehört hatte, denen Lew, Offizier der Roten Armee, als Lehrer an der antifaschistischen Frontschule für Wehrmachtsangehörige begegnet war. Er hatte ein Talent, sich Feinde zu Freunden zu machen. In der DDR hatte er viele solcher Freunde, auch unter Schriftstellern – in Einzelfällen, die ihn schmerzten, haben sie sich als falsche Freunde entpuppt. Verrat war etwas, was er nicht begreifen konnte, sein seelischer Apparat war darauf nicht eingerichtet. Darum haben manche ihn »naiv« genannt. Man könnte es auch »Güte« nennen, ein altmodisches Wort, eine altmodische Eigenschaft. Sie hat ihn verletzlich gemacht und zugleich geschützt.

Zwei Tage nach dem Fall der Berliner Mauer war seine Stimme, ganz nah, im Telefon: Ich bin hier, will euch sehen. Er war in der Eile ohne Papiere eingeflogen, die Grenzwachen gab es noch, sie wollten ihm den Weg versperren, da wurden sie entrüstet von den umstehenden DDR-Leuten belehrt: Ja, kennten sie denn nicht den großen russischen Schriftsteller Lew Kopelew? Wollten sie dem etwa die Einreise verwehren? Er kam ohne Papiere herein. Wir waren dann auf dem Dorotheenstädtischen Friedhof bei den Gräbern von Hegel und Brecht.

Nachdem er 1980 aus der Sowjetunion ausgebürgert war

– ein tiefer Schmerz –, ist Lew, mit seinem Stock und seinem Patriarchenbart, ein neuer Ahasver, durch die Städte der westlichen Welt gewandert. Er wurde nicht müde, zu sehen, aufzunehmen, neuen Menschen zu begegnen, zu reden, zu diskutieren, zu erklären, um Verständnis zu werben. Seine wirksamste Botschaft war er selbst. Wer sein Leben kannte und sich ihm mit Scheu und Achtung näherte, traf einen schlichten, aus tiefem Herzen menschlichen Menschen, vorurteilsfrei, neugierig auf alles Neue, besonders auf Leute, hellwach und aufmerksam den Gang der Dinge verfolgend, viele Sinne nach Rußland gerichtet, tief beunruhigt oft, zugleich »dennoch hoffend«. Trauer hat er sich erlaubt, Resignation nicht. Er hat dagegen angearbeitet. Seine zweite Frage, wenn wir uns trafen, nun öfter in seiner Kölner Küche, mit Raja zuerst, zuletzt mit Marischa, war: Arbeitest du? Du arbeitest doch! Ich sah ihn in Krankenhausbetten, umgeben von seinen getreuen Mitarbeiterinnen und Mitarbeitern, denen er diktierte, Haufen von Zeitungen, Radio, Fernsehen in Reichweite, auf Besucher erpicht, denen er von gerade erfolgten, gerade bevorstehenden Publikationen berichtete, besessen von seinem selbstgestellten Auftrag: Als »Grenzgänger und Brückenbauer« Deutsche und Russen einander näherzubringen. Er war nämlich einer, der noch an die »Waffe Wort« glaubte. »Ich kenne nur ein Mittel, eine Waffe, ein Werkzeug«, sagte er, »das Wort, das geschriebene, gesungene, geflüsterte, geschriene Wort …« Ein Satz, den ihm die Erfahrung der russischen und anderen osteuropäischen Dissidenten und Schriftsteller diktierte, von denen er uns erzählte, deren bei uns noch unbekannte Verse er uns zitierte.

Lew Kopelews Buch »Aufbewahren für alle Zeit«, ein Titel, der einen schaudern macht, gehört zu jenen Büchern, die nun ein unverzichtbares Zeugnis, »aufzubewahren für alle Zeit« sind und uns – neben den Büchern von Solschenyzin, Nadeschda Mandelstam, Lidija Tschukowskaja die Augen aufrissen. In den drei Bänden seiner biographischen Trilogie breitete Kopelew sein Leben vor uns aus, das exemplarische Leben eines Zeitgenossen, der in den Mahlstrom dieses Jahrhunderts hineingerissen wurde und dem es, nicht zuletzt durch schonungslose Selbsterkenntnis, gelang, eine innere Freiheit zu erringen, die auf alle ausstrahlte, die ihm begegneten. Er war mutig, voll Zorn und Trauer, frei von Selbstgerechtigkeit und voller Nachdenklichkeit, einfühlsam in krisenhafte Entwicklungen von Freunden. Gerade dadurch verhalf er uns zu schmerzhaften Erkenntnissen, gab das Beispiel, wie man Irrtümer überwinden, sich korrigieren, falsche Götter in sich stürzen und weiterleben kann. Er konnte wirklich helfen. Er konnte überschwenglich loben. Er konnte Mut machen.

Wie oft hat Lew in den letzten Jahren gesagt und geschrieben, Rußland könne nur durch ein Wunder gerettet werden, und hat ein Lächeln dafür geerntet. Jetzt, wo er tot ist, begreife ich, daß er selbst eine Art Wunder war und daß ein Satz wie dieser vielleicht auf einfacher Selbsterfahrung beruht.

Er wirkte, in jedem Sinn des Wortes, entwaffnend. Wie andere ein absolutes musikalisches Gehör haben, hatte er einen absoluten Sinn für Anstand und Menschlichkeit. Ich glaube, er brachte fast jeden, der ihm nahekam, dazu, seine besten Seiten herauszukehren. Vielleicht ist das ja die wirksamste Art, etwas an den Zuständen dieser Welt zu bessern.

Zum 70. Geburtstag von Günter Grass

Lieber Günter,
als ich leichtfertig zusagte, »eine Seite« für Dich zu schreiben, hatte ich wieder mal die Erfahrung verdrängt, daß es schwieriger sein kann, eine Seite zu schreiben als zwanzig, aber wem sage ich das. Hätte ich zwanzig, erzählte ich detailgenau, wann und wo Du nach meiner Erinnerung ganz bei Dir warst. Ich rede von Begegnungen. Die »Berliner Begegnung« zum Beispiel. Wie Du, nach einer teilweise kontroversen Diskussion, in der Pause Deinem Kontrahenten dicht gegenüberstehst und inständig auf ihn einredest. Wie Du, in der Akademie der Künste, zornig und unnachgiebig eine Veranstaltung für den gerade durch islamische Fundamentalisten mit dem Tode bedrohten Salman Rushdie forderst, in diesem Haus. Du bist solidarisch, und Du hast keine Angst, Du sagst Deine Meinung, egal, wie viele Leute sie teilen mögen, egal, wie viele Gegner Du Dir dadurch machst – eine altmodische Angewohnheit, die Du Dir als einer von wenigen unbeirrbar bewahrst.

Aber »bei Dir« bist Du für mich vor allem, wenn Du, in Deinem Schreibhaus, am Arbeitspult stehst, ein Handwerker nach getaner Arbeit, und mit verhaltenem Stolz dein letztes Manuskript aufblätterst, das in Wirklichkeit ein reich mit Federzeichnungen versehenes handschriftliches Konvolut ist, eine Kostbarkeit für jeden Sammler. Wie Du mit Deinen und Utes Gästen im Garten unter den Bäumen sitzt, Wein trinkend, rauchend, in gelöster Stimmung Lebensgeschichten erzählend. Wie Du in »Offenbachs Weinstuben« in Ostberlin, einem der Schauplätze Deines letzten Buches, das gute Essen und die Achtung des Wirtes genießt, in Quedlinburg »am Rande« der PEN-Tagung den Nordhäuser Doppelkorn. Wie Du auf der Bühne des »Berliner Ensemble« zum Tode von Stephan Hermlin sprichst. Doch nie sah ich Dich so ganz »bei Dir« wie in Danzig-Gdańsk, im Gespräch mit den heutigen Bewohnern Deines Kindheitsortes, die Dich als Sohn und Ehrenbürger ihrer Stadt mit offenen Armen empfingen: aufgeschlossen, beharrlich, scharfsinnig, liebevoll hast Du Dir diese Auszeichnung verdient. Schließlich hast Du Deiner Stadt einen Platz in der Weltliteratur gesichert.

Die eine Seite ist voll. Du wirst siebzig. Ohne dich will ich mir die zerklüftete deutsche Kulturlandschaft nicht vorstellen. Darum: Bleib gesund. Nimm doch die Pfeife aus dem Mund!

»Mitleidend bleibt das ewige Herz doch fest«

Zum 80. Geburtstag Heinrich Bölls

Heinrich Böll hatte keine Scheu vor altmodischen Wörtern. Er hätte wohl Wörter wie »redlich«, »rechtschaffen«, »unbestechlich« nicht zurückgewiesen, die mir in den Sinn kamen, nachdem ich seine letzten Arbeiten in dem Band »Die Fähigkeit zu trauern« gelesen hatte. Er, der achtungsvoll von seinem Vater, dem Tischler, sprach, würde es nicht als Geringschätzung auffassen, mit Eigenschaftswörtern belegt zu werden, die in alten Zeiten zur Kennzeichnung ehrbarer deutscher Handwerker dienten; auch ein Wort wie »anständig« würde er, glaube ich, nicht als Beleidigung empfinden, obwohl oder gerade weil es inzwischen aus dem sogenannten »öffentlichen Diskurs« verschwunden ist, eliminiert, ausgemerzt wurde, durch ein sehr wirksames Mittel: Man machte es lächerlich.

Heinrich Böll hatte etwas übrig für fallengelassene Worte, für Abfall überhaupt, für die abfällig Behandelten, für fallengelassene Menschen. Für gefallene Soldaten, denen er, weil er es schlimmer weiß, das euphemistische Beiwort »gefallen« allerdings entzieht (»fallen, Erika, das ist schreien und fluchen, manchmal auch beten«), auch für gefallene Mädchen hatte er etwas übrig. Sie alle lebten und leben, wie er schrieb: »Vom Rand der Gesellschaft her« – wohin nach schwer durchschaubaren Gesetzen der Abfall abgedrängt, abgeschoben, entsorgt wird: Was für Assoziationen solche Wörter heute hervortreiben! Wo der Abfall aber auch genau geprüft und, wenn noch brauchbar, nicht weggeworfen, sondern aufgehoben, benutzt, weiter- und wiederverwertet wird. Die Generation, der Heinrich Böll angehörte, war erfahren in Abfallverwertung; auch wir, meine Altersgenossen, sind es noch: trockenes Brot können wir nicht wegwerfen.

Hat eigentlich irgendein anderer Schriftsteller mit dem Wort »Brot« so viel anfangen können wie Böll? Aus seinen frühen Erzählungen schlägt es einem entgegen: BROT!, der Heißhunger, der die Menschen im Nachkriegsköln zur Brotbeschaffung treibt, um jeden Preis, die Art und Weise, dieses Brot dann zu essen, es zu brechen, als eine beinahe heilige Handlung, als Sakrament. Und, in seltenen, genau beschriebenen Fällen, es zu teilen. Brot als Maßstab für Moral, der war hart und untrüglich, und ob es der aller-schlechteste war – ich bezweifle es. Als Maß für Anstand – von diesem Wort ging ich ja aus.

Dann fing ein anderes Maß an zu gelten, setzte sich immer mehr durch, Böll hat es mit seismographischer Emp-findlichkeit registriert: »Hast du was, dann bist du was«. 1961, nachdem er dieses Schlagwort in einer populären Fernsehsendung zum erstenmal gehört hatte, verfolgte er es mit detektivischem Spürsinn in Zeitungen, Zeitschriften hinein, in öffentliche Verlautbarungen aller Art, hat es nackt angetroffen und in seinen vielfältigen Verkleidungen entlarvt, und schließlich ist es ihm, zu seiner Bestürzung, selbst in der Heiligen Messe begegnet, im Fastenbrief des Kölner Erzbischofs, der die Gläubigen doch tatsächlich auffordert, »durch Erwerb von Anteileigentum, ... durch Beteiligung am Investmenttrust und ähnliches Eigentum zu erwerben«. Eine solche »breite Eigentumsstreuung«, zitiert Heinrich Böll einigermaßen fassungslos den »Oberhirten, der wohl wissen muß, was er tut«, »würde ... die Arbeiterschaft und überhaupt die minderbemittelten Volkskreise gesellschaftlich heben und in das Volksganze eingliedern«. Wie? Man müsse also Arbeiter und überhaupt Minderbemittelte ins Volksganze eingliedern über Besitz? fragt Böll sarkastisch. Armut gelte also nichts mehr, der Arme sei ausgegliedert? Solle man also dem Franz von Assisi, der »mit der Armut vermählt war«, vielleicht ein »posthum entdecktes Aktienpaket in den Nachlaß schmuggeln?« Warum eigentlich nicht. Heute, sechsunddreißig Jahre später, wird kaum noch jemand die Empörung dieses Autors verstehen, der sich sowieso dadurch unbeliebt machte, daß er immer alles wörtlich nehmen mußte. Heute haben auch die Leute in den neuen Bundesländern die Worte »Anteilseigner« und »Investmenttrust« zumindest schon gehört, ich kann mir satirische Anmerkungen des Zeitkritikers Böll dazu vorstellen. 1961 schrieb er bitter: »Überlassen wir die heute lebenden Habenichtse, die keine Aussicht haben, kanonisiert zu werden, getrost den Kommunisten« – die hat er aber, da, wo sie an der Macht waren, (ob sie sich da noch zu Recht »Kommunisten« nannten, sei hier ausgeklammert) durchaus nicht als angemessene Begleiter für in Armut geratene Schichten der Bevölkerung gesehen: Er hat auch sie mit seinem kritischen Urteil nicht verschont. In seinem frühen Aufsatz über Karl Marx schreibt er: »Wie in der westlichen Welt ... Verbrauch das neue Opium ist (des Opiums scheint man irgendwie zu bedürfen, um das, was Marx anstrebte, Bewußtsein, zu verhüten), so ist in der östlichen Welt der ›Marxismus‹ selbst zum Opium geworden.« Immer wieder allerdings wendet er sich gegen den »platten Antikommunismus«, der es erreicht hat, daß bis in unsere Zeit hinein das Wort »Kommunist« bei vielen Westdeutschen Horrorvisionen auslöst. Leidenschaftlich polemisiert er in den achtziger Jahren, während der Raketendebatte, als endlich in West *und* Ost Friedensbewegungen entstanden, gegen den »mörderischen Slogan«: »Lieber tot als rot.«

Ja, schwer widerstehe ich der Versuchung, diesen Vortrag als eine Collage von Böll-Zitaten anzulegen, die, chronologisch gelesen, lückenlos belegen würden, welche Widersprüche in seiner Gesellschaft einen linken Demokraten wie Heinrich Böll auf den Plan rufen und ihn Jahr für Jahr polemisieren lassen – gegen die Etablierung der altneuen Machtverhältnisse, gegen restaurative Tendenzen, die Aushöhlung des Freiheitsbegriffs. Eine mutige Stimme, die furchtlos Tabus verletzt – wo hören wir sie heute noch?

Auf meinem Schreibtisch liegt der Zeitungsstapel mit den mehr oder weniger hämischen Kommentaren, den mehr oder weniger selbstgefälligen Vorbehalten und Angriffen auf die Rede, die Günter Grass jüngst in der Paulskirche hielt, und, ich traue meinen Augen nicht: Bei Böll finde ich einen Leserbrief an den »Spiegel«, im Mai 1984 publiziert, in dem er Grass gegen die Verunglimpfung durch einen »Spiegel«-Redakteur verteidigt: »Nur weiter so: Schießt sie alle ab, einzeln oder reihenweise, diese publicitysüchtigen Intellektuellen, die sich da noch – keine Anführungszeichen bitte! engagieren: für Nicaragua, gegen die Wende, für Polen, die Dissidenten in allen Weltgegenden, gegen den neuerlichen Wendestaatsstreich, der da heißt: Amnestiegesetz. Nur weiter so: alle abschießen, dann haben die Wendegeschütze endlich freies Schußfeld ...«

Wie schade, daß niemand in den letzten Wochen auf die Idee gekommen ist, diesen Text als neuen Beitrag in die Debatte zu werfen – bis in die Wortwahl hinein hätte er ja hochaktuell gewirkt. Nur daß 1984 von einer anderen

»Wende« die Rede ist als von der letzten, 1989 – wir im Osten, in unsere eigenen Probleme verwickelt, haben nicht genug begriffen, ein wie tiefer Einschnitt die politische Wende Anfang der achtziger Jahre für viele Intellektuelle in der Bundesrepublik war. Die Versteinerungen, in denen die östlichen Systeme steckten, schienen unauflösbar. Wir haben uns wohl gegenseitig kaum in die Situation der je anderen versetzen können. Die Folgen dieser Unkenntnis und Fremdheit wirken lange nach. Während ich mich durch Heinrich Bölls Schriften an der westdeutschen Zeit, an der Geschichte meiner Kolleginnen und Kollegen in Westdeutschland entlanglese, spüre ich, wie von dieser Entfremdung wieder etwas wegschmilzt.

Selbstverständlich kann und will ich mich nicht nachträglich an Heinrich Bölls Kritik, an sein Leiden an seiner politischen Wirklichkeit anhängen, und wie unangebracht jeder Hauch von Selbstgerechtigkeit wäre, ist mir wohl bewußt. Aber ich kann einfach nicht die Augen davor verschließen, wie vieles von dem, was er vor langer Zeit kritisch, zornig, beschwörend geschrieben hat, heute noch oder heute wieder gültig ist wie am ersten Tag. Ich würde es kaum glauben, wenn ich es nicht schwarz auf weiß vor mir hätte, daß er im Mai 1985 – es war einer seiner letzten Texte – in einer »Ungehaltenen Rede vor dem Deutschen Bundestag« folgende Sätze schrieb: »Vergessen Sie die Arbeitslosen nicht, und überdenken Sie einmal die Möglichkeit, daß 35 Stunden Arbeit pro Woche *zuviel* sind. Es wird keine andere Lösung dieses Problems geben, wenn Sie nicht einen Weg der Arbeits*verteilung* finden. Arbeit verteilen, zuteilen, so, wie in Notzeiten Brot zugeteilt wird. ... Bedenken Sie das, wo doch immer deutlicher wird, daß Aufschwung nicht Senkung der Arbeitslosigkeit bedeutet.« Das verkünden jetzt, wie eine brandneue Erkenntnis, die Prognosen für das nächste Jahr.

Die Zahl der Arbeitslosen hat sich, seit Böll sich Sorgen über sie machte, mehr als verdoppelt. Von seiner Kühnheit angesteckt, wage ich den Vorschlag, aus Anlaß von Heinrich Bölls 80. Geburtstag diese ungehaltene Rede im Deutschen Bundestag zu verlesen – vielleicht je einen längeren Abschnitt von je einem Vertreter jeder Fraktion und Gruppe – und danach eine Pause stillen Nachdenkens anzuberaumen: über Asylgesetzgebung, Solidarbeitrag, Lauschangriff, Steuergesetze. Und vor allem: über den Zusammenhang zwischen Massenarbeitslosigkeit und der Gefährdung der Grundlagen der Demokratie.

Heinrich Böll wurde von seinen Lesern in der DDR verehrt; seine Bücher, die zögernd und in ungenügenden Auflagen erschienen, und besonders die, welche nicht erschienen, wurden von Hand zu Hand weitergegeben. Aber es war ja nicht nur die literarische Wirkung, die übrigens auch in der Sowjetunion enorm war – es war die Wohltat, es mit einem integren Menschen zu tun zu haben. Für manche Autoren, für mich jedenfalls, war seine Art, über Anfechtungen und Anfeindungen hin sich selbst treu zu bleiben, auch eine Orientierungshilfe, er wurde mir zu einer provozierenden Instanz in Gewissensfragen. Einige Male habe ich über solche Fragen mit ihm sprechen können, einmal war Lew Kopelew dabei, ein gemeinsamer Freund. Um wenige Menschen habe ich so getrauert wie um Heinrich Böll, und als ich jetzt seine Bücher wieder las, ist das Verlustgefühl noch einmal sehr heftig geworden, stark die Anziehungskraft seiner geistigen Welt.

Aber es gab auch höchst ungeistige Wirkungen, durch seine suggestiven Schilderungen sinnlicher Genüsse. Er hat es ja öfter bedauert, wie wenig in der deutschen Literatur *gegessen* wird. Nun, als ich »Gruppenbild mit Dame« wieder las, mußte ich auf einmal frühstücken wie Leni: Zwei »knackige« Brötchen, heißen, starken Kaffee – obwohl ich sonst Tee bevorzuge – und dunkles Brot. Mußte mir, wie der junge Fähmel in »Billard um halbzehn«, Quark mit einem Fingerhut Paprika anrühren. Nur der Intensität von Bölls Raucherschilderungen, die einen Nichtraucher leicht verführen könnten, habe ich mich erfolgreich erwehrt.

Von Brot sprach ich schon. Den Mangel – an Brot, an Zigaretten, an Kaffee, Tee, an einem Dach über dem Kopf, an Wärme – diesen Mangel der frühen Jahre hat Böll nie vergessen können, und er hat genau beobachtet, wie aus den unterschiedlichen Arten, mit diesem Mangel fertig zu werden, ihn womöglich in Überfluß zu verwandeln, nach dem Krieg die unterschiedlichen Lebensläufe seiner Landsleute sich entwickelten. Er hat diesen Mangel und seine nie verblassende Erinnerung daran zu seinem Reichtum als Erzähler gemacht: Eine Gesellschaft, die sich nicht erinnere, sei krank. Alles mögliche hat man ihm schon nach den ersten Prosaarbeiten vorgeworfen: Er schreibe »Trümmerliteratur«, »Waschküchenliteratur«, »Versehrtenliteratur«. Alles Wasser auf seine Mühlen. (»Wenn Sie je in der peinlichen Lage gewesen sind, etwas, was abfällig gemeint war, als Schmeichelei zu empfinden ...«)

Wie Heinrich Böll den Vorwurf der »Gesinnungsästhetik« aufgenommen hätte, der in den Wendejahren – jetzt meine ich die nach 1989 – vom Feuilleton der großen Zeitungen erhoben wurde und auch ihm galt, kann ich nicht wissen, nur ahnen. »Gesinnung gibt es immer gratis«, hat er einmal, vor dreiunddreißig Jahren, einen Artikel überschrieben. Warum nur, mußte ich mich fragen, lesen diejenigen, die es opportun finden, in einem alten literarischen Feldzug ein neues Scharmützel anzuzetteln, nicht wenigstens nach, was vor ihnen dazu geschrieben wurde! Bölls Aufsatz – natürlich ein Plädoyer gegen »bloße Gesinnungsliteratur«, die ja niemals zur Debatte stand – bringt die Demagogie der meisten Verächter der »Gesinnungsästhetik« auf den Punkt: »... und überall gibt es die Zeigefingerschwenker, Leute, die empört, beunruhigt, verzweifelt die Hände ringen, wenn etwas, das ihrer Gesinnung nicht paßt, sich als formal glänzend und somit gefährlich erweist; die Form spannt den Geist des Menschen, der Inhalt das Herz und die Nerven.« Diese »Zeigefingerschwenker« habe ich in der DDR gut gekannt, manchmal schwenkten sie auch ein Zensurdekret; ich denke, Schriftsteller haben sich immer und überall zu wehren gegen die Zumutungen der Zeitgeistästhetik; heute, wenn ich nicht irre, am ehesten gegen die Propagierung jenes fröhlichen Nihilismus, der in der Postpostmoderne an die Stelle von »Gesinnung« lanciert wird. Dieses »perfekt-adrette Nichts« – wie unermüdlich hat Böll es immer wieder benannt und verspottet, später: das »etablierte Nichts«, das die Gesellschaft von innen her aushöhlt, dessen Symptome Leerlauf, Stockung, Lähmung, mörderische Langeweile, Habgier, inhaltloses Machtstreben sind; Heinrich Böll beschreibt, wie es sie befällt, die Repräsentanten der Parteien, der Wirtschaft, der Kirchen; wie die Empfindsamen unter ihnen es beklagen, wie sie darunter leiden – ein Mechanismus, der sie allmählich, unaufhaltsam zermahlt, nur einige Unverdauliche ausspeit: an den Rand, in die Leistungsverweigerung, die Frauen in die Nervenklinik. Und manche Junge in den sinnlos zerstörerischen »bewaffneten Kampf«.

»Sympathisant« hat man Böll dafür beschimpft, daß er

nicht nur die »Zeichen an der Wand« frühzeitig zu lesen verstand, sondern den Gründen nachging, die hinter den Erscheinungen stecken. Als einen dieser Gründe erkennt er die Ursachen, die in die Vergangenheit zurückreichen, jenes schwarze Loch des Verschweigens, Verdrängens, Vergessens. 1960 schrieb Heinrich Böll, es zeige sich, »daß unsere Vergangenheit sich immer weiter von dem Punkt entfernt, wo sie hätte bewältigt werden können«. Die Figuren vieler seiner Bücher tragen das Gift dieser Vergangenheit, das nie wirklich ausgeschieden wurde, in ihre Umgebung, in ihre Familie, in die nächste Generation hinein. Es ist, glaube ich, an der Zeit, auch und gerade in der Literatur zu fragen, welche Formen und welche Folgen die je unterschiedliche Auseinandersetzung mit dem Nationalsozialismus in den beiden deutschen Staaten hatte und wie diese Folgen in das vereinigte Deutschland hineinwirken.

Oft habe ich jetzt, da der Zeitraum, in dem Heinrich Böll lebte, Geschichte ist, seinen Prognosen Respekt zollen müssen, seiner Hellsichtigkeit, die ihn selbstverständlich nicht vor dem grotesken – mir übrigens bekannten – Vorwurf schützt, er habe »mit der Entwicklung nicht Schritt gehalten«. Das hat er, beinahe hätte ich gesagt: freudig zugegeben, hat freimütig eingestanden, daß seine Bücher, würde man sie im Ausland etwa den offiziellen und offiziösen Kommuniqués staatlicher Stellen entgegenhalten, ein anderes Land schildern als jene Verlautbarungen. »Es ist ja weder Zufall noch die böse Absicht zersetzender Intellektueller«, schreibt er, »... daß sich die Bundesrepublik in der erzählenden Literatur, in der Lyrik und in der Publizistik anders darstellt, als es den Presse- und Wirtschaftsattachés angenehm ist. Die Politiker sollten sich nicht grämen, sich schon gar nicht beklagen. Sie sollten sich fragen, warum es denn keinen einzigen Nachkriegsroman gibt, in dem sich die Bundesrepublik als blühendes, fröhliches Land dargestellt findet ... Offenbar gibt es Hindernisse, die weit tiefer liegen, als oberflächliche politische Gekränktheit vermuten könnte. Ein trauriges Land, aber ohne Trauer: es hat seine Trauer delegiert, über die Grenze nach Osten geschoben ...« Der Osten, muß ich hinzufügen, hat diese Gabe nicht angenommen, hat sie mit allen Anzeichen der Empörung über die Grenze nach Westen zurückgeschoben, und er hat »seinen« Autoren die gleiche berühmt-berüchtigte Frage gestellt: Wo bleibt das Positive? Heinrich Böll hat sich, sooft er konnte, in der DDR umgesehen, er hat ihre Probleme, glaube ich, gekannt, aber die Prozesse, die zu ihrem Zusammenbruch und zur Vereinigung führten, hat er nicht mehr erlebt. Seine nachdenkliche, behutsame, ja seine gerechte Stimme hat sehr gefehlt, und sie fehlt weiter – auch in dem mühsamen Verständigungsprozeß der Intellektuellen.

Böll lesend, kommt es mir so vor, als hätten wir, Ost- und Westautoren, uns nach der Vereinigung wieder etwas zuschieben lassen, nämlich die säuberlich-verfehlte Teilung in positiv West und negativ Ost, und als hätten wir, indem wir dieses Maß annahmen – ob zustimmend oder ablehnend –, die Chance verpaßt, uns gegenseitig mit den wichtigen Erfahrungen in dem je anderen deutschen Staat vertraut zu machen; darunter mit unseren Anstrengungen, die Gesellschaft zu humanisieren, mit der Enttäuschung über die Vergeblichkeit dieser Anstrengungen und den Gründen für diese Fehlschläge, mit unserer Einsicht in Versäumnisse, Irrtümer, Illusionen, unserer Trauer über den Verlust von Werten, materiellen und ideellen, über Irrtümer, Irrwege, schwer auflösbare Verhärtungen, die die Spaltung auch in uns selbst erzeugt hat. Und wenn wir nach dieser Selbstprüfung, anstatt den sogenannten einfachen Bürgern, unseren Lesern, ein Beispiel von Uneinsichtigkeit zu geben, dazu kämen, uns jener schmerzhaften Frage auszusetzen, die Heinrich Böll sich und den Seinen sehr früh gestellt hat: Was ist aus uns geworden? Was haben wir aus uns machen lassen?; wenn wir es fertigbrächten, Selbstmitleid und Zynismus, Rechtfertigungsdrang und Rechthaberei einfach fallenzulassen, wenn wir aufhören könnten, an den marginalen Streitbrocken herumzuzerren, die die Feuilletons uns mit Bedacht hinwerfen, so den Wettlauf um die fettesten Brocken anfeuernd, an dem wir uns doch nie beteiligen wollten – dann, ja, dann könnten wir vielleicht statt dessen unsere scheinbar vergeblichen Erfahrungen ernst und wichtig nehmen, den Mut finden, zu ihnen zu stehen. Und dann könnten wir womöglich unser wahres Interesse erkennen, die Solidarität mit den Verlierern jenes ungeheuren Umverteilungsprozesses nämlich, der in diesen Jahren unter dem Vorwand ökonomischer Zwänge unser Leben und unsere Werteskala von Grund auf in Frage stellt. Wenn uns das gelänge, hätten wir wohl etwas von dem Vermächtnis angenommen, das Heinrich Böll uns hinterlassen hat.

Ein sehr langer Absatz im Konjunktiv. Möglichkeitsform, Wunschform, Zweifelsform. Unverantwortlich wäre es, den Indikativ auf den Sankt-Nimmerleins-Tag zu verschieben.

Ich muß noch einmal zu den Anfängen zurück. 1945 mag der Mehrheit der Deutschen, wenn ich es recht überlege, an einer »Stunde Null« gelegen haben. In Westdeutschland, dann der Bundesrepublik, konnten die herrschenden Schichten diesem Bedürfnis eher nachgeben als in der DDR, wo der Bevölkerung in den ersten Jahren rigoroser die Rechnung präsentiert wurde für ihr Verhalten in den zwölf braunen Jahren, und zwar von Gegnern des Nationalsozialismus, die aus KZs und aus der Emigration zurückkehrten. Daß sie, soweit sie Funktionäre wurden, ihre Macht dann wiederum in einem diktatorischen System ausübten und mißbrauchten, muß man mir nicht erzählen. Damals, in den Nachkriegsjahren, waren sie – wie auch der Exilant Willy Brandt – als »vaterlandslose Gesellen« vielen Deutschen fremder und unheimlicher als ein Hans Globke.

Nach diesem historischen Exkurs, den ich hier nicht weiter ausführen kann, bin ich wieder bei den Romanen und Erzählungen von Heinrich Böll. Er hat seinen Figuren strikt die Selbsttäuschung einer »Stunde Null« verweigert. Bis in seinen letzten Roman der achtziger Jahre hinein, »Frauen vor Flußlandschaft«, sind die Protagonisten der älteren Generation geprägt von den Traumata der Kriegszeit, andere haben ihr Leben dem Zwang unterworfen, ihre Beteiligung an Vergehen oder Untaten zu vertuschen, wegzudrücken, sich selbst vergessen zu machen. Wenn irgendwo in der westdeutschen Literatur der Nachkriegszeit, dann finden sich bei Heinrich Böll alle Stadien dieses oft lautlosen, unsichtbaren Korrosionsprozesses aufgezeichnet, die Haarrisse in den Ehen, die Sprachunmächtigkeit zwischen Eltern und Kindern, zwischen Liebenden, zwischen Freunden, Kollegen – Risse, die sich im Laufe von Jahren, Jahrzehnten verbreitern, aufklaffen, zu Abgründen zwischen Menschen werden, zu Unglück und Zusammenbruch führen bei äußerlich steil aufsteigenden Karrieren.

Während ich Heinrich Bölls Erzählungen und Romane in chronologischer Reihenfolge wieder las, nicht wenige Titel darunter, die sprichwörtlich geworden sind – von »Der Engel schwieg« über »Wo warst du, Adam«, »Haus ohne Hüter«, »Das Brot der frühen Jahre«, »Billard um halbzehn«, »Ansichten eines Clowns«, »Entfernung von der Truppe«, »Gruppenbild mit Dame«, »Die verlorene Ehre der Katharina Blum«, um nur die bekanntesten zu nennen –, während dieser Lektüre zog vor meinem inneren Auge ein langer Zug von Figuren vorbei, Männer und Frauen, Junge und Alte, vom Minister bis zum plebejisch-anarchischen Leistungsverweigerer, darunter nicht wenige, die einander von Buch zu Buch eine Art Stafettenstab weiterzureichen scheinen. Junge Männer, die in den Krieg gehen und wissen, daß sie sterben werden, Heimkehrer, Überlebende in den Trümmerstädten, schweigsam, verschlossen, illusionslos, grüblerisch, viele von ihnen gläubig, alle nicht fähig, sich anzupassen. Fremd im Nachkriegsdeutschland, obwohl ich kaum zögern würde, sie »typisch deutsch« zu nennen – in der rheinländischen Variante. Ein Grundtypus, der später Fähmel heißen wird, Hans Schnier, Fritz Tolm oder Karl Kreyl – Außenseiter oder überfordert von der Last eines Aufstiegs, den sie so nicht gewollt haben: eine Stafette von Leuten, die nicht als erste durchs Ziel gehen wollen. Bei vielen Kritikern sind sie nicht gut angekommen, auch die Frauen nicht, deren Männer, Geliebte im Krieg »gefallen« sind, die ihre Kinder durchbringen mit Hilfe verschiedener »Onkels«, Frauen, die an der Seite ihrer aufsteigenden Männer verkümmern, oder zusammenbrechen, in Sanatorien enden; oder die starken sinnlichen Frauen, wie Leni Pfeiffer, geborene Gruyten, und Katharina Blum, die den Journalisten erschießt, der ihr die Ehre genommen hat. Was ist gegen sie einzuwenden?

Es gibt sie nicht, lese ich. So nicht. Böll sei, das gilt ja als Schimpfwort, ein »Moralist«. Horribile dictu: Ich glaube, er ist es tatsächlich. Er nimmt sich die Freiheit, seine Gestalten aus ihrem moralischen Kern heraus zu entwickeln und leben zu lassen, und stößt dabei auf den Widerspruch dieser Art von Lebendigkeit, nach der jeder sich sehnt, mit den gesellschaftlichen Normen und Klischees. Diesen Widerspruch spitzt er, wie sein Beruf es verlangt, gehörig zu, indem er seine Figuren in Umstände versetzt, die nicht jeden Tag vorkommen, die vielleicht überhaupt nicht vorkommen: damit sie so richtig zeigen können, wes Geistes Kind sie sind. Ja, Phantasie hat dieser Erzähler – ein Phantast – was das Wort »Moralist« im Deutschen mit unterstellt – ist er nicht. Ich habe sogar den Verdacht, daß eine Utopie hinter seinem Werk steht und daß sie es ist, die ihm diese Einheitlichkeit und Unverwechselbarkeit gibt – ein inneres Bild von Menschen in einer Gesellschaft, die sich nicht selbst zerstört. Eine Utopie, gewiß – aber ein Utopist ist Böll nicht.

Wenn schon eine Kategorie sein muß, will ich ihn einen handfesten Realisten nennen. Aber was ist für ihn »Realität«, »Wirklichkeit«? Er ist nicht müde geworden, darüber nachzudenken. »Offenbar stellen sich Leser, sogar Kritiker manchmal vor, ein Autor hätte Wirklichkeit wie in einer Regentonne vor dem Haus stehen und er brauche nur hinauszugehen, um daraus zu schöpfen«, meint er. Realien – ja, die braucht der Autor, manchmal auch penible Recherchen. Aus Bölls frühen Büchern kann man den Schwarzmarktpreis für Brot und für Zigaretten erfahren, in seinen späteren die Hotelpreise – unglaublich niedrig, übrigens! –, die ebenfalls unvorstellbar geringen Stundenlöhne, eines Klempners zum Beispiel. Einmal beschreibt er, welche Mühe es gekostet hat, für »Gruppenbild mit Dame« herauszufinden, was eine Hilfsarbeiterin in einer Friedhofsgärtnerei im Krieg verdient hat und wie hoch oder vielmehr wie schandbar niedrig die Rationen waren, die sowjetische

Kriegsgefangene in Deutschland an die Grenze des Verhungerns, oft in den Tod trieben. Auch hat er sich genau erkundigt, wie ein Grabkranz fachgerecht hergestellt wird. Dies alles sind, keine Frage, Realitäten, die man aus der Regentonne vor dem Haus schöpfen kann, wenn man für »Regentonne« Büchereien, Archive, alle möglichen Arten von Auskunftstellen, auch Zeugen und andere Informanten setzt. Realitäten sind auch: politische Systeme, Parteien, Kirchen, Häuser, Städte, Landschaften, die natürlich in den Büchern auch und gerade Heinrich Bölls »vorkommen«, die ihr Netzwerk bilden, ihre Anschaulichkeit ausmachen, Atmosphäre herstellen, Orte und Gelegenheiten, in denen die Figuren agieren, sich entfalten können. Stoff, Material – ja. »Die Wirklichkeit« des Kunstwerks sind sie nicht.

»Ein Autor nimmt nicht Wirklichkeit«, sagt Böll. »Er hat sie, schafft sie, und die komplizierte Dämonie eines vergleichsweise realistischen Romans besteht darin, daß es ganz und gar unwichtig ist, was an Wirklichem in ihn hineingeraten, in ihm verarbeitet, zusammengesetzt, verwandelt sein mag.« Aber was ist dann wichtig in Bölls »Ästhetik des Humanen«, wenn »die bloße Inhaltsangabe ein Unrecht« ist. Welche Alchemie bewirkt denn die geheimnisvolle »Verwandlung« des Stoffes, auf der er so beharrlich besteht?

Ich scheue davor zurück, das Wort zu verwenden, das mir auf der Zunge liegt, mache eine Pause, blättere noch einmal in Bölls Aufsätzen, Reden, Kritiken und stoße doch tatsächlich auf das Wort, das ich ohne diesen Beleg ungern gebraucht hätte: Reibung. »Die Dichter, auch wenn sie sich scheinbar in der Unverbindlichkeit ästhetischer Räume bewegen, kennen den Punkt, wo die größte Reibung zwischen dem einzelnen und der Geschichte stattfindet ...« Hier auf Wolfgang Borchert gemünzt, doch aus eigener Erfahrung und Betroffenheit heraus formuliert. Heinrich Böll hat den »Punkt« gekannt. Er war, als Mann der Aufklärung, als Deutscher, als gläubiger Mensch, in diesem Jahrhundert in Konflikte gestellt, die man eine Dauerreibung wohl nennen kann; es ist ja kein Zufall, kein Versehen, kein Mißverständnis, daß er immer wieder zum Objekt von öffentlichen Angriffen bis hin zu Rufmordkampagnen wurde: Er hat sich das durch die Unverblümtheit seiner Äußerungen, durch seine scharfen Diagnosen jeweils redlich verdient. *Dieser* Reibung hätte er doch manchmal ausweichen können, verletzbar und verletzt, wie er oft war (»Wir dickfellig-dünnhäutigen Dulder«). Er tat es nicht, auch und gerade in seinen Erzählungen und Romanen nicht, die er nicht von seinen publizistischen Arbeiten getrennt sehen will, die immer radikaler, immer zorniger werden und dadurch anzeigen, bis auf welchen Grad die innere Reibung sich verstärkt. Die übrigens – man muß wohl auch dieses Selbstverständliche aussprechen – ohne eine starke Bindung nie so intensiv sein könnte. »Von einer von Vorurteilen bestimmten zu einer aufgeklärten Gesellschaft« – so hat Heinrich Böll es selbst ausgedrückt. Daran mitzuwirken, fühlte er sich in die Pflicht genommen.

Den inneren Kampf zwischen seiner Religiosität und der Institution Kirche trägt er mit einem tiefen Ernst aus, so daß dieser schmerzliche Ablösungsprozeß zum Paradigma werden kann für andere der zahlreichen Ablösungsprozesse von Institutionen in dieser Zeit. Die existentielle Frage – ein Wort, das ich beinahe nie sonst verwende –, welche Bindungen uns, den sogenannten modernen Menschen, denn noch bleiben; ob und wie wir uns denn einbinden könnten in eine Gemeinschaft, die nicht hauptsächlich auf Gelderwerb und technischen Fortschritt aus wäre – diese Frage steht hinter Bölls Büchern und formt – welche Inhalte sie immer darbieten mögen – ihre »Wirklichkeit«.

Heinrich Böll hat die Zumutung immer zurückgewiesen, »Gewissen der Nation« zu sein: Es ist dies ja nur die Kehrseite des Bedürfnisses, ihn von Fall zu Fall zum Sündenbock der Nation zu machen. Alles, was er geschrieben hat, kann man unter einen Satz seiner Frankfurter Poetikvorlesungen stellen: »Auf der Suche nach einer bewohnbaren Sprache in einem bewohnbaren Land.« Ein Land sei bewohnt und bewohnbar, wenn man Heimweh nach ihm empfinden könne. Gerade heute las ich in der Zeitung, das Cottbuser Theater habe Fragebögen an seine Besucher verteilt, die jetzt im Foyer ausgehängt sind. Zusammenfassend wird berichtet: »Viele Leute finden gut, was passiert, aber sie möchten nicht sein, wo sie sind.« Was bedeutet das. Geht es weiter, dieses »Nicht-wohnen-Können der Deutschen«, wie Böll es nennt, wie er es an Kleist, Stifter, den Romantikern beobachtet? Und was ist mit Hölderlin, Büchner, was mit den ausgetriebenen deutschen Dichtern dieses Jahrhunderts? Und was mit den Figuren in Bölls letztem, traurigstem und »untröstlichstem« Buch, die sich nicht mehr zu Hause fühlen, wegmöchten, weg aus Bonn, auswandern aus Deutschland, aber nicht wissen, wohin. Und zur gleichen Zeit die unzähligen Gespräche in der DDR: Weg hier, aber wohin?

Wir sind in Berlin. Nie hätte Heinrich Böll es sich träumen lassen, daß wir uns seiner einmal in Ostberlin, in diesem Haus erinnern würden, welches einst Palais des Preußischen Finanzministeriums war, jetzt »Palais am Festungsgraben« heißt, sich vor sieben Jahren noch »Zentrales Haus der deutsch-sowjetischen Freundschaft« nannte, woran heute noch die Wolkenstores und der Samowar erinnern – ich zweifle, daß diese folkloristischen Accessoires wesentlich dazu beitragen können, was an jener Freundschaft echt war, aufrechtzuerhalten und zu pflegen. Heinrich Böll hat ja, um Freundschaft mit Russen, Tschechen, Polen zu schließen, kein »zentrales Haus« gebraucht (obwohl sein Haus eine zentrale Anlaufstelle für bedrängte Freunde aus östlichen Ländern war) – er hat nur seine Aufgeschlossenheit für andere Lebensformen und Kulturen gebraucht, und allerdings seine schier unerschöpfliche, ihn manchmal vielleicht doch erschöpfende Hilfsbereitschaft.

Bleiben wir in Berlin. »Wo ist denn nun die Hauptstadt der Deutschen?« fragt Böll herausfordernd – lange, sehr lange ehe irgend jemand damit rechnen konnte, daß Berlin je wieder in diesen Rang aufrücken würde. »Ich kann nur feststellen, daß Berlin nicht mehr als fünfzehn Jahre lang die Hauptstadt eines demokratischen Deutschlands gewesen ist – eine Periode des Traums und des Taumels.« Raabe und Fontane, Döblin und Benjamin hätten Berlin nicht zu einer literarischen Realität machen können, die mit der von London und Paris, mit der Petersburgs oder Moskaus zu vergleichen wäre. Und in der Tat, dem geteilten Nachkriegsberlin fehlt ein Autor, wie er Köln in Heinrich Böll geschenkt wurde. Das »liege an der Politisierung der Stadt, des Wortes Berlin«. So Böll 1964. 1997 steigen »traumhafte«, »utopische«, »surrealistische« Architekturinseln aus der eher nüchternen Berliner Stadtlandschaft auf. Ob sie das Heimatgefühl der Bewohner dieser Stadt stärken werden? Ob sie und riesige steinerne Denkmäler unsere Trauer, unseren Schmerz, unsere Scham über die Ermordung von über 55 000 jüdischen Bürgern dieser Stadt, ob sie unsere Fähigkeit, künftig vertrauensvoll miteinander zu leben, vertiefen werden? Ob sie den neuen Berlinern, die aus Bonn demnächst in die Stadt kommen, helfen werden, die – nach Böll – in den Rheinlanden nicht unbegründet verbreitete Ansicht von der »kalten Heimat Preußen« zu korrigieren? Ob sie Nachbarschaft stiften können – »Humanes, Soziales, Gebundenes« – alles so wichtige Anliegen Heinrich Bölls?

Wollen wir es hoffen. Karoline von Günderrode, aus dem Rheinland gebürtig wie Heinrich Böll, hat gesagt: »Wenn wir zu hoffen aufhören, kommt, was wir befürchten, bestimmt.« Das ist nun bald zweihundert Jahre her. Der Atem der Hoffnung zieht, manchmal beinahe erstickt, durch die Jahrhunderte. Nicht eine bläßliche, schwächliche, tatenarme Hoffnung meine ich. Ich meine jene unersättliche, ununterdrückbare, brüllende Hoffnung, von der Böll schreibt: »Die Hoffnung ist wie ein wildes Tier.« Sie habe ich in Heinrich Bölls Lebensfreude, die sein ganzes Werk trägt, in seinem Humor, seiner Menschenliebe und in seiner Unerbittlichkeit gespürt.

Wie ich diesen Text enden wollte, wußte ich von Anfang an: Mit einer Hölderlinzeile, die der Architekt Fähmel in dem mir liebsten Buch von Heinrich Böll, »Billard um halbzehn«, mehrmals zitiert: »Mitleidend bleibt das ewige Herz doch fest.« Wir, mein Mann und ich, suchten lange nach dieser Zeile, konnten sie nicht finden. Victor Böll half mit einem Hinweis auf die Hymne »Wie wenn am Feiertage«, doch fand sich das gesuchte Zitat in der Beißnerschen Ausgabe der Werke Hölderlins in sehr anderer Form. Nun, dachte ich, Böll wird es sich umgedichtet haben und wollte es diskret auf sich beruhen lassen. Endlich griffen wir noch nach der Hellingrathschen Ausgabe von 1943. Da wurde klar: nach ihr hatte Heinrich Böll zitiert. »Und tieferschüttert, eines Gottes Leiden / Mitleidend, bleibt das ewige Herz doch fest.« Das paßt, dachte ich.

Und doch hat Heinrich Böll dieses Zitat noch einmal verändert: 1984, als er es seiner Laudatio für Rupert Neudeck voranstellte. Da heißt es denn: »Mitleidend bleibt das *menschliche* Herz doch fest.«

Dabei wollen wir es bewenden lassen.

Der geschändete Stein

Am 31. Dezember des vorigen Jahres, vor fast zwei Monaten, las ich in einer Berliner Zeitung eine kurze Notiz unter der Überschrift: »Gedenkstein beschädigt«. Ein »Gedenkstein der Jüdischen Gemeinde zu Berlin in der Großen Hamburger Straße« sei »umgestoßen und stark beschädigt worden«. Die Nachricht traf mich, aus mehreren Gründen: als erneuter Beweis für aufflammende antisemitische Aktivitäten in unserer Stadt; als Zeichen dafür, daß diese Aktivitäten nicht besonders wichtig genommen werden und daß man über die Entstehungsgeschichte dieses Steines, die man verengt, wenn man ihn als »Stein der Jüdischen Gemeinde« bezeichnet, nicht informiert war; aber auch, weil es gerade diesen Stein betraf, zu dem ich eine besondere Beziehung habe.

Ja, Steine können reden. Zumindest die Inschrift, die seit 1987 auf diesem Stein steht, der 1961 im Namen der Nationalen Front, der Jüdischen Gemeinde von Berlin und des Komitees der Antifaschistischen Widerstandskämpfer der DDR aufgestellt wurde, sollte zu uns sprechen:

»An dieser Stelle befand sich das erste Altenheim der Jüdischen Gemeinde Berlin. 1942 verwandelte die Gestapo es in ein Sammellager für jüdische Bürger. 55000 Berliner Juden vom Säugling bis zum Greis wurden in die Konzentrationslager Auschwitz und Theresienstadt verschleppt und bestialisch ermordet.«

Die genaue Zahl ist, wie man heute weiß, 55 696. Es kommt auf jede Ziffer an. Wir sollten diese unvorstellbare Zahl auflösen in eins und eins und eins ... und so weiter. Und bei jeder Eins ein Gesicht, ein Leben, das an dieser Stelle, hier, wo wir stehen, gewaltsam unterbrochen, dem Schrecken ausgeliefert, von hier aus in die Vernichtung getrieben wurde – über Bahnhof Grunewald, Gleis siebzehn, in 186 Zügen auf den Strecken der deutschen Reichsbahn nach Theresienstadt, Auschwitz, Lódź. Das Mahnmal, das am Eingang des Güterbahnhofs Grunewald an diese Deportationen erinnerte, ist in der Nacht zum 31. Dezember auch beschmiert worden. Inzwischen ist auch dort ein diesem Ort angemessenes Denkmal eingeweiht worden: An den Kanten zum Gleisbett tragen 186 gußeiserne Gitter die Daten der Deportationszüge, ihr Ziel und die Zahl der Deportierten.

Nicht weit von hier, kaum hundert Meter, steht auf dem Gebiet des alten jüdischen Friedhofs der Grabstein von Moses Mendelssohn, dem Aufklärer, der für Toleranz und Glaubensfreiheit stritt und den Lessing zum Vorbild für seinen Nathan nahm. Der Beginn des aufklärerischen 18. Jahrhunderts markiert auch den Beginn einer Hoffnung: daß in Deutschland Juden, Christen und Angehörige anderer Religionsgemeinschaften gleich geachtet und gleichberechtigt miteinander leben könnten. Gerade die Geschichte Berlins, gekennzeichnet auch durch ihre bedeutenden jüdischen Bürger, schien für diese Hoffnung zu stehen. Auch hier, an dieser Stelle, in der Großen Hamburger Straße, die einst wegen der Institutionen verschiedener Religionen, die sie beherbergte, »Straße der Toleranz« genannt wurde, ist die Hoffnung zuschanden gemacht worden. Der jüdische Friedhof wurde zerstört, das jüdische

Altenheim wurde von der Gestapo usurpiert und in ein Sammellager für die zur Deportation bestimmten jüdischen Bürger Berlins gemacht. Der Stein bezeichnet eine tiefe Wunde, eine verfluchte Stelle in unserer Stadt. »Sacer« aber heißt im Lateinischen zugleich »verflucht« und »heilig«. In diesem Sinn ist dies auch ein heiliger Ort, dem wir Ehrfurcht entgegenbringen sollten. Ebendarum hat mich die Zerstörung des Steins so getroffen.

Die Welt ist nach der systematischen Ausrottung der Juden Europas durch Deutsche eine andere als vorher. Diese Erkenntnis trifft uns mit einer Wucht, die sich immer noch steigert. Das Wissen ist uns eingebrannt, daß die Zivilisation, in der wir uns bewegen, eine dünne Schicht ist; sie kann einbrechen, die Barbarei kann ungezügelt zum Ausbruch kommen. Menschen können heranwachsen – und sie wachsen unter uns heran –, deren Lebens- und Verhaltensmuster keinen Hauch von Mitgefühl kennen, die unerreichbar sind für die Maßstäbe und Werte unserer abendländischen Kultur. Die um sich schlagen – auf alles, was schwächer, was fremd, was bedrohlich für sie ist. Kann ein Stein, können Mahnmale bedrohlich sein? Anscheinend ja. Diese jungen Leute in ihrem extrem schwachen Selbstwertgefühl ertragen es nicht, an die Verbrechen ihrer Großväter erinnert zu werden. Sie können nur aus primitiven, archaischen Reflexen heraus sich selbst beweisen, daß sie vorhanden sind.

Beklommen höre ich bei passenden, leider immer häufiger »passenden« Gelegenheiten die öffentlichen Mahnungen, wachsam zu sein. Dabei erleben wir doch, daß die Strukturen der Industriegesellschaften immer weniger dazu angetan sind, Mitgefühl, Einfühlungsvermögen, Offenheit für andere Kulturen zu wecken und zu pflegen. Die immer häufigere, immer schärfere Ausgrenzung von Menschen, die anders sind – fremd, arbeitslos, arm, krank, alt –, erzeugt Hilflosigkeit, Ohnmacht, Wut, Haß. In den Schulen wird gelehrt, Computer fehlerfrei zu bedienen; mit Konflikten gewaltlos umzugehen, lernen unsere Kinder kaum. Menschenfreundlichkeit ist ein Wert, der höchstens belächelt wird. Wer rücksichtslos Leistung bringt, wird bewundert. Erfolg haben ist Pflicht. Die neuerlichen Asylgesetze sind nicht dazu angetan, Gastfreundschaft gegenüber Flüchtlingen zu stärken. In Zeiten eigener Bedrängnis wird die Suche nach dem Sündenbock wieder aktuell. Und die Ideologie, die der zunächst ungezielten Gewaltbereitschaft ihre Pseudorechtfertigung und ihre Ziele liefert, ist auch wiederauferstanden.

Heißt das resignieren? Nein, gerade nicht. Anschließend an unser Zusammensein zur Wiederaufrichtung dieses Steins gehen wir mit der Jüdischen Gemeinde zur Rosenstraße, wo ein anderes Mahnmal an die sogenannte Fabrikaktion erinnert – jenen Versuch der Gestapo, auch die jüdischen Männer, die, mit nichtjüdischen Frauen verheiratet, nicht deportiert wurden, sondern in Fabriken arbeiten mußten, in die Vernichtungslager zu verschleppen. Da haben die Frauen tagelang vor dem alten jüdischen Verwaltungsgebäude in der Rosenstraße 2–4 demonstriert und protestiert – unerhört in Nazideutschland! –, bis ihre Männer freikamen: Das Aufsehen in der Berliner Öffentlichkeit war den Nazis zu groß. Mut und Liebe haben in einer ausweglos scheinenden Situation wenigstens einigen Dutzend zur Ermordung vorgesehenen Menschen Rettung gebracht.

Die Gefühle von Scham, von Mitverantwortung, die uns in den Knochen stecken, die geschichtliche Erfahrung, deren Zeugen wir Älteren noch waren, sollten uns dazu bewegen, uns dem Zeitgeist der Gleichgültigkeit und des blinden Eigennutzes nicht widerstandslos zu ergeben. Auch in Zeiten der Krise bleibt dem einzelnen die Möglichkeit und die Pflicht, sich zu entscheiden: Für oder gegen jenes Verhalten, das mit einem altmodischen Wort »sittlich« genannt wird und das jenes soziale Netz bildet, dessen Zerreißen den Absturz in die Inhumanität zur Folge hat. Jede einzelne Masche dieses Netzes ist unerläßlich. In diesem Sinne erlaube ich mir, die letzten Sätze einer Rede zu zitieren, die der israelische Historiker Yehuda Bauer am 27. Januar vor dem Deutschen Bundestag gehalten hat:

»In dem Buch, von dem ich schon sprach, stehen die Zehn Gebote. Vielleicht sollten wir drei weitere Gebote hinzufügen: Du, deine Kinder und Kindeskinder sollen niemals Täter werden. Du, deine Kinder und Kindeskinder dürfen niemals Opfer sein, und – du, deine Kinder und Kindeskinder sollen niemals, aber auch niemals passive Zuschauer sein bei Massenmord, bei Völkermord und, wir hoffen, daß es sich nicht wiederholt, bei holocaustähnlichen Tragödien.«

Heroischer Entwurf

Die drei Bücher, die das Hauptwerk von Irmtraud Morgner bilden, sind, wieder oder neu gelesen, zum Erstaunen. Sie sind ein Entwurf, der in der deutschen Nachkriegsliteratur seinesgleichen sucht, und mein Erstaunen an ihnen entzündet sich auch an ihrer hervorragenden Unzeitgemäßheit, die sich über das Vierteljahrhundert, das sie begleiteten und von dem sie gezeichnet sind, als haltbar erweist. Eine in der deutschen Literatur klassische Unzeitgemäßheit, die allerdings meistens in kürzeren fragmentarischen Zeugnissen, selten in einer derart ausgedehnten Romantrilogie auftritt, die in ihrem letzten Band allerdings auch ins Fragmentarische vorstößt. »Vorstößt« – anders kann ich das nicht sagen, denn es handelt sich nicht um ein Auslaufen ins Fragment aus Unvermögen, aus Kraftlosigkeit, aus Mangel an Konzentration – hier wehrt sich eine Frau, eine Schriftstellerin, ihre Mittel als Nothelfer, zum Widerstand aufrufend: dagegen, vernichtet zu werden, und ihre, unsere Zeit liefert ihr nicht die Materialien, die sie zu ihrem Schutz in eine geschlossene Form bringen könnte. »Wenn die großen Gegenstände ausgegrenzt, weggesehen werden, wird alles banal, nur Stückwerk, Detail. Denn es fehlen die großen Zusammenhänge, die große Bedeutung.« Gewiß, sie ist über diesem Kampf, denn das war es, gestorben, sie hat den Krebs, der sie getötet hat, als eine Folge der Verkrampfungen und Abwehrhaltungen gesehen, zu denen ihr Körper über die Jahr hin gezwungen war. »Mein Leben war ein

Versuch, Alpträumen zu entkommen. Natürlich mußte dieser Versuch scheitern, weil die Realität aus Alpträumen besteht. Aber das kann man erst erkennen und anerkennen, wenn die Abwehr zusammengebrochen ist.«

Wie mich diese Zitate aus Irmtraud Morgners letzten »Notaten aus dem Zwischenreich« an Franz Fühmanns Bekenntnis seines Scheiterns erinnern, wie mich Irmtraud Morgners Überanstrengung und zu früher Tod an andere frühe Tode von schreibenden Frauen in der DDR erinnern, die sich in einem ähnlichen Kampf wie die Morgner aufgerieben haben: Inge Müller, Maxi Wander, Brigitte Reimann. »Meine Angst frißt mir das Leben weg«, heißt es einmal bei Irmtraud Morgner, und, in einer Büchnerschen Formulierung: »Mir ist so kalt ums Hirn.« Aber warum denn! würde es ihr heute aus der totalen geistig-seelischen Leere und Beliebigkeit der Gesellschaft entgegenschallen, während solche Sätze zu ihrer Zeit, das heißt in der DDR, sie einfach verdächtig machten. Beide Strategien laufen auf dasselbe Ergebnis zu, und eben das war es, was Irmtraud Morgner in ihren letzten Jahren in schwere Verzweiflung, in eine Schreibkrise trieb: Seit Tschernobyl, 1986, verlor sie die Hoffnung, daß der Planet zu retten ist. »Ich gehe nicht an den Schreibtisch, wenn ich nur das Grauen der Welt sehe und nicht sagen kann, warum ich dennoch lebe.«

Ihrem ersten Buch der Trilogie stellt sie als Motto den Ausspruch der Trobadora Beatriz voran: »Am Anfang war die andere Tat«, und der erste Satz des Buches kann noch heißen: »Natürlich ist das Land ein Ort des Wunderbaren« – natürlich eine Prise Ironie dabei, etwas gespielte Naivität, ein Augenzwinkern, aber auf einem scheinbar soliden Sockel von Ernst, von Gutgläubigkeit, die, über die zweieinhalb Jahrzehnte und über die drei Bücher hin, buchstäblich aufgefressen werden, von Mächten, gegen die die Autorin sich tapfer wehrt, noch im Rückzug tapfer wehrt, ihre Schreibarbeit als die »andere Tat« nicht aufgebend, ihre Utopie – die in keinem Staat, keiner Partei, keiner Ideologie zu Hause ist – immer wieder rettend vor dem Zugriff der Dunkelmänner und der Dunkelweiber (eine grandiose Erfindung!), »in einer Welt ohne Zukunft / Utopie sich das Fehlende buchstäblich aus sich herausschneiden(d)«. Aber sie erfährt: »Die Prüfungen eines endlichen Menschenlebens weiblicher Art in Männergesellschaften müssen jeder Frau in allen Augenblicken, da die Verdrängungsarbeit mal ruht, unabsehbar erscheinen.«

Ehrlich, radikal, rigoros, lakonisch ist sie als Autorin immer gewesen, dabei frech, geistreich, provozierend, scharf, kritisch, rücksichtslos, humorvoll – das alles aber »auf Hoffnung hin«. Die Teile ihres letzten Buches, die wir nun kennen, schlagen einen anderen Ton an: desillusioniert, ernüchtert bis auf die Knochen; der spielerische Ernst der früheren Bücher, die kunstvolle Phantasieakrobatik haben eine andere Färbung bekommen, ihre Leichtigkeit wird durch eine inständige, zunehmend hoffnungslosere Suche nach Rettung wie mit Gewichten behängt. Schon immer waren ihre Bücher Kompendien aufmüpfigen, aufrührerischen Denkens, origineller unverblümter Diagnosen aus weiblicher Sicht, erfrischender Geschichtsklitterungen, entstammend dem Blick von unten, genauester Alltagsbeobachtungen aus dem Leben einer alleinerziehenden Mutter in der DDR – eine Materialfülle, die Morgner mit der Erfindung eines künstlerisch-formalen Netzes einzufangen, zusammenzuhalten sucht, das sie »operativen Montageroman« nennt, ein Instrument, die kühnsten Phantasiefiguren, unterschiedliche Zeitebenen einzuweben in die konkretesten Alltagsgeschichten gewöhnlicher Leute, die sie unverfroren vom Himmel durch die Welt zur Hölle führt. Den Textstücken des »Heroischen Testaments« folgend, werden wir Zeugen, wie gleichzeitig mit dem Verdrängungsmechanismus die Möglichkeit, formbildend zu wirken, zusammenbricht. Nur Liebe vermag in einer heillosen Welt noch Form herzustellen. Die Insel, die es nicht gibt und die sie sich erfinden muß, unter verschiedenen Namen: Durch die Liebe blüht Utopie noch einmal auf. Den realen Ort, da Hero, Laura Salman, Amanda die Hexe mit ihrem menschlichen Anspruch leben könnten, gibt es nicht. Die Wiedervereinigung der durch Entfremdung gespaltenen Menschenhälften ist nicht in Sicht. Der Trost, nur die eine Hälfte der Welt, die, in der man gerade lebt, könne unrettbar verloren sein, ist auch geschwunden: »Wer beide Systeme kennt, steht im Niemandsland mit seiner Phantasie.« Der Blick der Morgner ist unbestechlich. Was nun?

Ein paar Sätze, vielleicht für einen Brief der Laura Salman an ihre von ihr getrennte hexische Hälfte Amanda bestimmt:

»Die Utopie Mensch muß entziffert werden.

Ich habe keine. Sie hat mich. Ich bin sie. (Ohne mich / sie zu verstehen.) Denn sie ist in mir. (Der ganze menschliche Entwurf.)

Wenn ich schreibe, dann erinnere ich mich dieses Entwurfs.

Daß der Mensch ihn nicht benutzt und daß ich glaube, es ist zu spät, sich seines Entwurfs als Mensch zu erinnern, die Chance eines Jahrhunderts vertan – ist eine andere Sache.

Ich selber kann nicht leben, ohne mich meiner Utopie zu erinnern. Und einigen Menschen wird es ähnlich gehen. Für mich und für die schreibe ich.«

Dünn ist die Decke der Zivilisation
Musikalische Meditation
Joseph Haydn, »Missa in Tempore Belli«

Wir hören eine große Musik. Als ich anfing, diesen Text zu schreiben, habe ich sie mir immer wieder vorgespielt, bis ich das Muster der Messe in ihr erkannte. Da ich nicht gläubig im Sinne einer Kirche bin, habe ich dieses Muster erst lernen müssen, habe versucht, mich in die Gefühls- und Denkweise der Gläubigen hineinzuversetzen, denen das strenge Ritual ein Erlebnis von Gemeinsamkeit und Halt gab und gibt. Hier ist ein seit Jahrhunderten feststehender Kanon, auf den man bauen, in den man sich auch einbauen, einfügen, einpassen kann – große Bilder, große Anrufungen, Flehungen, Bekenntnisse, die die Seele der wahrhaft Gläubigen aus der Zerknirschung erheben, sie besänftigen, stillen und sie dann in Frieden entlassen können: Ite, missa est: Geht, ihr seid entlassen.

Generationen von Musikern haben diesem Kanon gedient, haben ihn bedient, ihre Freiheit in der Beschränkung gefunden. Als Joseph Haydn, Kapellmeister im Dienst des Hauses Esterhazy, 1796 seine jährlich abzuliefernde Messe komponiert, ist der Kaiser der Franzosen, Napoleon, mit seiner Armee in Österreich eingedrungen. Wenige Jahre ist es her, daß die Französische Revolution und die Kriege, die gegen sie geführt wurden, Europa erschütterten. Die Zeiten sind unruhig. Alte Bindungen lösen sich auf. Der vierundsechzigjährige Joseph Haydn gibt seiner Messe den Namen: Missa in Tempore Belli. Messe in Kriegszeiten.

Credo in unum Deum,
        Ich glaube an den einen Gott,
Patrem omnipotentem,
        den Vater, den Allmächtigen,
factorem caeli et terrae,
   der alles geschaffen hat, Himmel und Erde,
visibilium omnium et invisibilium
     die sichtbare und die unsichtbare Welt.
Et in unum Dominum Jesum Christum,
     Und an den einen Herrn Jesus Christus,
Filium Dei unigenitum,
        Gottes eingeborenen Sohn,
et ex Patre natum ante omnia saecula.
     aus dem Vater geboren vor aller Zeit:
Deum de Deo, lumen de lumine,
      Gott von Gott, Licht vom Licht,
Deum verum de Deo vero,
      wahrer Gott vom wahren Gott,
genitum, non factum,
        gezeugt, nicht geschaffen,
consubstantialem Patri:
        eines Wesens mit dem Vater;
per quem omnia facta sunt.
       durch ihn ist alles geschaffen.
Qui propter nos homines
          Für uns Menschen
et propter nostram salutem
        und zu unserem Heil
descendit de caelis.
      ist er vom Himmel gekommen.
Et incarnatus est
      Er hat Fleisch angenommen

de Spiritu Sancto
                    durch den Heiligen Geist
ex Maria virgine,
                    aus Maria, der Jungfrau,
et homo factus est.
                    und ist Mensch geworden.
Crucifixus etiam pro nobis
                    Er wurde für uns gekreuzigt
sub Pontio Pilato;
                    unter Pontius Pilatus,
passus et sepultus est.
                    hat gelitten und ist begraben worden.

Es gibt, soviel wir wissen, keine Kultur, die ohne religio, ohne eine Rück-Bindung an Übereinkünfte über Werte, Glaubenssätze, über das Maß, nach dem Sittlichkeit zu messen ist, ausgekommen wäre. In dem Jahr, in dem Haydn die Messe schrieb, die wir heute hören, erschienen an weit entfernten Orten Europas drei Werke, die alte Bindungen widerriefen und neue formulierten, die bis heute wirken: In Königsberg schrieb Kant seinen »philosophischen Entwurf« »Zum ewigen Frieden«, in Frankreich brachte Thomas Paine seine Schrift »Das Zeitalter der Vernunft« heraus, und in Weimar verfaßte Friedrich Schiller seine »Briefe zur ästhetischen Erziehung des Menschen«. Ein Netz aufklärerischer Gedanken über Europa.

»Vernunft« ist das Losungswort, aber nur Thomas Paine, der Engländer, kann an den Bewegungen teilnehmen, die eine vernünftige gesellschaftliche Praxis anstreben. Er, der ein unumstößliches Recht des Volkes in der Erhebung gegen monarchische und aristokratische Regierungen sieht, nimmt an den amerikanischen Unabhängigkeitskriegen gegen das Mutterland teil, stürzt sich dann in die Französische Revolution mit ihren hochgemuten Zielen »Freiheit, Gleichheit, Brüderlichkeit«, sieht als zeitweiliges Mitglied des Konvents ihr Scheitern voraus, schreibt, vereinsamt, an seinem Werk »Das Zeitalter der Vernunft« und wird kurz nach dessen Vollendung von den Jakobinern über ein Jahr eingekerkert. Aber zu einem wirklich Einsamen wird er erst, als er auch zu einer »Revolution im Religionssystem« aufruft, sein Wissen mit dem »christlichen Glaubenssystem zu vergleichen« beginnt und die positiven Religionen ganz und gar als Menschenwerk begreift. Er wird Deist: Der Schöpfungsakt des entpersonifizierten Gottes beschränke sich, sagt er, auf einen ersten Anstoß, der die Welt in Bewegung setzte. Scharf und unerschrocken geißelt er Religion und Kirche als Mittel geistiger und moralischer Verknechtung und Lüge – eine trotz aller Aufklärung unerhörte Provokation in einem Europa, das von der Ideologie des Christentums beherrscht ist. Benjamin Franklin, der Freund, weiß, daß Menschen nichts so gewalttätig macht, wie wenn man ihren Glauben in Frage stellt, und rät Paine, nicht »den Tiger zu entfesseln«. Er gibt ihm zu bedenken, daß die große Masse der »schwachen und unwissenden Menschen« der moralischen Führung durch die Religion bedürfe. »Wenn die Menschen schon *mit* Religion so ruchlos sind, was werden sie erst *ohne* sie sein?«

Das ist die Frage. Immanuel Kant entwirft zur gleichen Zeit die Bedingungen für einen »Ewigen Frieden«, dessen Voraussetzung er in einer Politik sieht, die sich dem Recht unterwirft. Und Friedrich Schiller müht sich ab, die Verhältnisse eines deutschen Duodezfürstentums wenigstens in Gedanken übersteigend, ästhetische Erziehung, bürgerliche Tugend und politische Freiheit miteinander in Beziehung zu setzen. Aus diesen Schriften weht mich ein Geist an, den ich heute nirgendwo mehr finden würde: der Geist freiheitlichen, vor allem: von Hoffnung getragenen Denkens.

Der wurde in den letzten zweihundert Jahren in Europa stranguliert, zeitweise abgetötet. Daß der Mensch heraustreten könne aus der »selbstverschuldeten Unmündigkeit«, ist vielen nur noch ein Gegenstand zynischer Glossen. Es widersteht mir, hier an die Aushöhlung und Zerstörung jener Werte zu erinnern, welche die Aufklärer – eine kleine Gruppe gebildeter Männer – aus den Ideen des Abendlandes herausgefiltert haben. »Freiheit« ist ja *das* Losungswort unserer Gesellschaft. Aber welchen Sinn hat dieses Wort uns noch, außer: Freiheit, möglichst viel zu verdienen, Freiheit zu reisen, Freiheit des Konsums – alles nicht zu unterschätzende Freiheiten. Oft genug stehen sie für Zügellosigkeit. Für Befreiung aus allen Bindungen.

»Qui tollis peccata mundi« werden wir jetzt hören. Du nimmst hinweg die Sünden der Welt. Ich zweifle.

Qui tollis peccata mundi,
    Du nimmst hinweg die Sünden der Welt:
miserere nobis.
            erbarme dich unser.
Qui tollis peccata mundi,
    Du nimmst hinweg die Sünden der Welt,
suscipe deprecationem nostram.
            nimm unser Flehen gnädig auf.
Qui sedes ad dexteram patris,
    Du sitzest zur Rechten des Vaters,
miserere nobis.
            erbarme dich unser.

Quoniam tu solus Sanctus,
       Denn du allein bist der Heilige,
tu solus Dominus,
              du allein der Herr,
tu solus Altissimus,
              du allein der Höchste:
Jesu Christe,
              Jesus Christus,
cum Sancto Spiritu:
              mit dem Heiligen Geist,
in gloria Dei Patris.
              zur Ehre Gottes des Vaters.
Amen.

Im November 1989, als in der DDR Tausende auf die Straßen gingen, hing an der Ostberliner Samariterkirche ein großes Transparent. Mit schwarzer Schrift stand auf weißem Tuch zu lesen: WIDER DEN SCHLAF DER VERNUNFT – anknüpfend an eines von Goyas Caprichos, das die Allegorie der schlafenden Vernunft zeigt und die Inschrift trägt: Der Schlaf der Vernunft gebiert Ungeheuer. In der Kirche suchten wir die Vernunft aus ihrem Schlaf zu wecken. Stunde um Stunde traten die Rednerinnen und Redner vor, an jenem Abend zumeist Schriftsteller, Künstler, und andere Intellektuelle, und wir holten uns wieder, was uns aus den Händen genommen worden war: Das Recht, frei unsere kritische Meinung zu äußern. Die Verhältnisse beim Namen zu nennen. Verantwortliche zur Rechenschaft zu ziehen. Für Unrecht Bestrafung zu verlangen. Den Schleier, der nur noch grob die wahren Zustände verhüllte, vollends wegzureißen.

Ich rede nicht aus nostalgischem Sentiment von diesen

alten Geschichten, sondern weil ich erlebt habe, daß Menschen scheinbar unvermittelt die Decke von Anpassung und Passivität abwerfen können, unter die sie sich geduckt haben,. um einzufordern, was erstaunlicherweise als Bedürfnis in ihnen überlebt hat: Gerechtigkeit, Freiheit und, ja, auch: Solidarität. Die Vernunft der Aufklärer schien auf den Straßen und Plätzen, und ganz besonders in den Kirchen, nicht: zu herrschen, sondern die Menschen zu ergreifen. Die alte Spaltung zwischen Glauben und Wissen, die einen Thomas Paine so gegen die Kirche seiner Zeit aufgebracht hat, schien ihre Schärfe verloren zu haben. Für Wochen, füge ich hinzu. Inzwischen ist wieder Ordnung hergestellt. Leute sind großenteils Konsumenten, viele von ihnen Arbeitslose, die Kirchen sind auf ihre eigentliche Klientel zurückverwiesen, die ihnen immer mehr wegschmilzt. Und alle zusammen wundern sich, wie stark die jetzige gesellschaftliche Ordnung in ihren Zielen der alten, weit weniger effektiven und ungleich restriktiveren ähnelt: in ihrer Ausrichtung auf ein megamaschinelles Industriesystem, in Forschung und Technologie, die in eine zerstörerische Richtung tendieren und um des grenzenlosen Wachstums und Profits willen weitergetrieben werden, obwohl alles Wissen über die Folgen dieser Tendenz heute vorhanden ist.

Kaum ein denkender Mensch leugnet heute noch, daß die Art und Weise, wie die westlichen Länder wirtschaften und wie ihre Bewohner leben, sich in einer Krise befindet. Jedenfalls greift das Krisenbewußtsein nach meiner Erfahrung genauso schnell um sich wie die Globalisierung der Wirtschafts- und Finanzmärkte. Die Politiker beschwichtigen es mit immer neuen unhaltbaren Versprechungen, die Unterhaltungsindustrie übertüncht es mit verlogenen Darbietungen, mit Seichtheit und Klamauk. Das Verhalten vieler Menschen, das sie oft selbst nicht verstehen, straft den öffentlichen Optimismus Lügen. Mir drängt sich das Bild eines sich immer schneller drehenden Strudels auf, in dessen Zentrum das Vakuum immer größer wird, während diejenigen, die keinen Halt mehr finden, an seinen äußeren Rand, schließlich darüber hinaus geschleudert werden. Die ratlosen Verfechter unseres Systems verkaufen uns dieses fatale Phänomen weiterhin ungerührt als Fortschritt. Und die Verzweiflung vieler von diesem »Fortschritt« abhängiger Menschen kommt gerade daher, daß sie, die ihr materielles Leben nicht aufs Spiel setzen wollen, nicht die Spur einer Alternative sehen. Die Kraft des Prinzips Hoffnung scheint erloschen und wird oft noch nachträglich denunziert.

Eine Nacht vor Silvester des letzten Jahres haben Unbekannte einen Gedenkstein zerstört, der in der Mitte von Berlin daran erinnerte, daß von dieser Stelle aus, an der früher ein jüdisches Altersheim stand, über 55 000 Berliner Juden in die Vernichtungslager der Nationalsozialisten deportiert wurden. Am Silvesterabend sind 500 Menschen aus dem Gottesdienst der benachbarten evangelischen Sophienkirche mit Kerzen zu jener Stelle gegangen, um ihren Abscheu gegenüber dieser Tat auszudrücken. Mit dem Pfarrer dieser Gemeinde und mit anderen Freunden wurde ich schnell einig, daß wir versuchen müßten, die Wiederaufrichtung des zerstörten Steins zu einer öffentlichen Angelegenheit zu machen, die helfen könnte, die Geschichte der Berliner Juden stärker ins Bewußtsein der heute hier Lebenden zu bringen. Inzwischen ist der restaurierte Stein wieder errichtet und in einer Feierstunde der Öffentlichkeit übergeben worden. Viele Menschen nahmen daran teil. In den scheinbar so festen Strukturen rührt sich ein lebendiges Bedürfnis, menschlich zu handeln.

Gloria in excelsis Deo
                    Ehre sei Gott in der Höhe
et in terra pax hominibus
                         und Friede auf Erden
bonae voluntatis.
                    den Menschen seiner Gnade.
Laudamus te,
                         Wir loben dich,
benedicimus te,
                         wir preisen dich,
adoramus te,
                         wir beten dich an,
glorificamus te. Gratias agimus tibi
               wir rühmen dich und danken dir,
propter magnam gloriam tuam,
                    denn groß ist deine Herrlichkeit:
Domine Deus, Rex caelestis,
               Herr und Gott, König des Himmels,
Deus Pater omnipotens.
          Gott und Vater, Herrscher über das All.
Domine Fili unigenite, Jesu Christe,
          Herr, eingeborener Sohn, Jesus Christus,
Domine Deus, Agnus Dei,
                    Herr und Gott, Lamm Gottes,
Filius Patris.
                         Sohn des Vaters.

Meine Mutter pflegte zu sagen: Ich glaube, daß fünf Pfund
Rindfleisch eine gute Brühe geben, wenn man nicht zuviel
Wasser nimmt. – Ist es Blasphemie, diesen nüchternen Satz
einer Frau, die, besonders nach Krieg und Vertreibung, sich
fast bis zur Selbstaufopferung für ihre Kinder abarbeitete,

hier anzuführen, nach dem hochfliegenden, heiligen Credo? Ich denke nicht. Ich denke vielmehr, daß das schönste Glaubensbekenntnis – worauf immer es sich beziehen mag: einen Gott, ein Heiligtum, eine religiöse oder weltliche Lehre – nur so viel wert ist, wie es die Erfahrungen und die Lebenssorgen der sogenannten einfachen Menschen in sich aufnehmen und ihnen – soweit das überhaupt möglich ist – gerecht werden kann. Nicht, daß sie nicht fähig wären oder daß man es ihnen nicht zutrauen sollte, daß sie sich lösen können von ihren alltäglichen Abläufen und Verrichtungen und ihren Sinn und ihre Sinne auf etwas richten können, was über ihre Person, über ihre Lebenszeit hinausweist, sie transzendiert und ehrwürdig und geheimnisvoll ist und ihre Ehrfurcht weckt. Gerade ihre Glaubensinnigkeit ist ja oft benutzt, oft ausgenutzt worden.

Der strenge Glaubenstext im Zentrum der Messe, den die Kirche nach der blutigen Niederschlagung von Ketzerbewegungen aufgerichtet hat, die nicht glauben wollten, daß Jesus Gott sei, fordert ein rigoroses Bekenntnis gegen die Mitwirkung der Mutter an der Geburt dieses einen Kindes: »Gottes eingeborenen Sohn, aus dem Vater geboren vor aller Zeit: Gott von Gott, Licht vom Licht, wahrer Gott vom wahren Gott, gezeugt, nicht geschaffen ...« Als ich mich mit den vorgeschichtlichen Mythen beschäftigte, habe ich verstanden, vor welchem Hintergrund diese Einsetzung des Mannes als alleinigem Schöpfer alles Lebens statthaben mußte. Oft ist ja, was wir besonders eindringlich beteuern, eine Abwehr gegen etwas, was uns beunruhigt, wovor wir Angst haben, was wir draußenhalten müssen.

Et resurrexit tertia die,
Er ist auferstanden am dritten Tage

secundum Scripturas,

                       nach der Schrift

et ascendit in caelum,

          und aufgefahren in den Himmel.

sedet ad dexteram Patris.

             Er sitzt zur Rechten des Vaters

Et iterum venturus est cum gloria,

       und wird wiederkommen in Herrlichkeit,

iudicare vivos et mortuos,

      zu richten die Lebenden und die Toten;

cuius regni non erit finis.

       seiner Herrschaft wird kein Ende sein.

Et in Spiritum Sanctum,

        Ich glaube an den Heiligen Geist,

Dominum et vivificantem:

          der Herr ist und lebendig macht,

Qui locutus est per prophetas.

     der gesprochen hat durch die Propheten.

Et unam sanctam catholicam et

      Und die eine, heilige, katholische und

apostolicam ecclesiam.

              apostolische Kirche.

Confiteor unum baptisma

        Ich bekenne die eine Taufe

in remissionem peccatorum.

          zur Vergebung der Sünden.

Ex expecto resurrectionem mortuorum.

     Ich erwarte die Auferstehung der Toten.

Et vitam venturi saeculi.

       Und das Leben der kommenden Welt.

Amen.

In Jahrtausenden vor Christus walteten im Vorderen Orient allmächtige Göttinnen über die Geschicke der Menschen. Eines der Gebete, das der Gläubige an die babylonische Göttin Ischtar zu richten hatte, lautet:

Hehre Ischtar, die die Weltgegenden beherrscht,
Heldenhafte Ischtar, Schöpferin der Menschen,
die eintritt zum Vieh, den Hirten liebt: …
dich gehen um Hilfe an die, denen Unrecht geschah,
dem Mißhandelten schaffst du Recht,
in ihrer aller Prozesse richtest du.

Und in einem anderen Hymnus sagt der Bittsteller der Göttin:

Löse meine Sünde, meine Missetat,
meinen Frevel und meine Verfehlung,
achte gering meinen Frevel …

»Und vergib uns unsere Schuld …« Wir hören das Echo jahrtausendealter, längst untergegangener Stimmen. Ja, wir kommen von weit her. Es ist erregend, oft bestürzend, dem Schicksal der Göttin nachzugehen, die in den frühesten Zeiten von Menschen angebetet wurde, denen die Heiligkeit der weiblichen Sexualität, ihre mystische, lebenspendende Kraft unmittelbar einleuchtete; die in ihren Gesellschaften der ersten Dyade von Mutter und Kind, die das Überleben des Stammes sicherte, Ehrfurcht entgegenbrachten. In noch wenig differenzierten Gesellschaften müssen sich die Frauen dem Mann gleichgestellt, vielleicht überlegen gefühlt haben. Die Geschlechterfolge wurde von der Frau abgeleitet, sie war die einzig sichere Herkunft der Kinder.

Im Lauf der Jahrhunderte, während die Frauen auf der Erde in einem komplizierten Prozeß zum Tauschobjekt, zum Besitz der Männer wurden, wurde der Priesterin-Göttin ein Mann beigesellt, ihr Sohn oder Bruder, mit dem die Priesterin die »Heilige Hochzeit« vollzog, um ein Kind von ihm zur Welt bringen zu können; er selbst aber wurde in einem Ritual unter Anwesenheit des ganzen Stammes der Göttin geopfert, seine Gebeine wurden über die Felder verstreut, um sie fruchtbar zu machen. Die Gewißheit von Wiedergeburt und Auferstehung stand hinter dieser Opferung. Und wiederum in Jahrhunderten wurde das reale Opfer des männlichen Menschen verwandelt in die Opferung eines männlichen Tieres, wie man es heute noch zu Ostern in Griechenland bei den Massenschlachtungen von Lämmern erleben kann.

In den alten Mythen läßt sich, verschlüsselt, der Kampf der neuen männlichen Götter gegen die Göttinnen verfolgen. Diese werden herabgewürdigt, ihr männlicher Gefährte oder Sohn erfährt immer höhere Achtung, wird dominant, verschmilzt schließlich mit einem Sturm-Gott zu einem männlichen Schöpfergott. Die Macht des Schöpfertums und der Fruchtbarkeit wird von der Göttin auf den patriarchalen Gott übertragen, dem im Christentum, alte Muster aufnehmend, ein Sohn beigegeben ist, »aus dem Vater geboren vor aller Zeit«, den der grausame Vater dann als Sündenbock opfert – auch ein uraltes Ritual, wie die Kreuzigung eine uralte Art der Strafe war. Als Zugeständnis an die einfachen Menschen, die immer noch an ihren Göttinnen hängen, gibt es nun eine Jungfrau, die, wider die Natur, ein Kind zur Welt bringt, das sie von keinem irdischen Mann empfangen hat. Ihr wird kein eigenständiger Wert als Mutter mehr zuerkannt, sie ist nur noch ein Gefäß der Gottheit. Sie darf für die sündigen Menschen bei Gottvater bitten: Eigene Macht, zu binden und zu lösen, hat sie nicht. Und Jungfrauschaft wird jahrhundertelang – an vielen Orten der Welt noch heute – zur rabiat durchgesetzten Bedingung für die Ehewürdigkeit einer Frau.

Die »weltgeschichtliche Niederlage der Frau«, die sich in den monotheistischen Religionen spiegelt, wirkt bis heute fort: In vielen Weltgegenden als direkte, unverblümte Entrechtung und oft bestialische Unterdrückung der Frauen; in unseren zivilisierten pariarchalen Gesellschaften haben die Frauen zwar viele Rechte erkämpft, spielen aber nur eine geringe Rolle bei der Formulierung der richtunggebenden Werte, zu denen jedenfalls Liebe zu Kindern, zu Menschen überhaupt, die Bewahrung des Lebens, Mütterlichkeit nicht gehören. Und immer wenn eine Krise die Gesellschaft bedroht, wie eben jetzt, zeigt sich, wie dünn die Decke der Zivilisation ist. Sie reißt an vielen Enden. Angst, Gier, Rücksichtslosigkeit der Männergesellschaft kommen nackt hervor, die Frauen werden wieder an den Rand gedrängt, die haßvollen perversen Gewalttaten gegen sie nehmen zu, in den Massenmedien erscheinen sie häufig als Hausmütterchen, konkurrierende Karrierefrauen oder als gefährlich verführerische dämonische Wesen. Berufe und Tätigkeiten, die Einfühlung und Mitempfinden zur Voraussetzung haben, werden als erste geopfert. Ein unheilvoller Kreislauf, der auch die beschädigt, die ihn unaufhörlich in Gang setzen.

Jetzt aber, ohne versöhnlichen Übergang, das gemeinsame Mahl. Das Verspeisen des Opferlamms. Das herrliche Agnus Dei: Mit Pauken und Trompeten.

Agnus Dei,
              Lamm Gottes,
qui tollis peccata mundi:
      du nimmst hinweg die Sünden der Welt:
miserere nobis.
                        erbarme dich unser.
Agnus Dei,
              Lamm Gottes,
qui tollis peccata mundi:
      du nimmst hinweg die Sünden der Welt:
miserere nobis.
                        erbarme dich unser.
Agnus Dei,
              Lamm Gottes,
qui tollis peccata mundi:
      Du nimmst hinweg die Sünden der Welt:
Dona nobis pacem.
                        Gib uns deinen Frieden.

Dona nobis pacem. Die Bitte um Frieden könnten wir auch
an uns richten. Gib Frieden! könnten wir uns sagen. So gib
doch endlich Frieden. Und könnten versuchen, herauszufinden, ob diejenigen unserer Wünsche, die scheinbar unser
Wirtschaftssystem stützen, in Wirklichkeit zu Unfrieden
und zur Zerstörung der Grundlagen unseres Lebens führen, wirklich unverzichtbar sind. Ob nicht ihre Maßlosig-
keit jene Spaltung mit hervorruft, die uns zwingt, unsere
Kinder zu erziehen»... halb auf die wölfische Praxis, und
halb auf die Idee der Sittlichkeit hin«, wie Ingeborg Bach-
mann sagt. Aber an jenen Wünschen und Bedürfnissen zu
rütteln, die wir gerne als naturgegeben ansehen wollen, das
zeigt sich als das allerschwierigste. Daß an ihnen etwas zu

ändern wäre, das wollen wir nicht glauben. Das halten wir für eine Utopie. Aber die Geschichte ist nicht zu Ende. Und sind nicht von jeher Menschen, die mit dem Sinnverlust, den sie verspüren, nicht mehr leben wollen oder können, Urheber großer Veränderungen geworden?

Ich ende nicht mit Gewißheit, ich ende mit einer Frage.